# BUON APPETITO

## REGIONAL ITALIAN RECIPES
## RICETTE REGIONALI ITALIANE

THE NATIONAL ITALIAN-AUSTRALIAN WOMEN'S ASSOCIATION
ASSOCIAZIONE NAZIONALE DONNE ITALO-AUSTRALIANE

STATE LIBRARY OF NEW SOUTH WALES
PRESS

## ACKNOWLEDGMENTS

*Our grateful thanks to the National Italian–Australian Women's Association committee members for their cooperation and contributions:*

*Giulia Bonacina, Carmen Lavezzari, Antonietta Carraro, Francesca Lazzarino, Carolina Carraro, Caterina Murgida, Bruna Cernicchi, Gina Papa, Gloria De Vincenti, Nadia Pedulla, Laura Didonè, Luisa Perugini, Simone Grandjean, Stefania Vetrano, Pina Kavo.*

*Particular thanks to the members of the Sardinian and Marche associations.*

*A very special thank you to Bruna Cernicchi and Laura Didonè for their dedication and excellent work.*

*We would also like to thank Lesley Payne and the other enthusiastic staff members of the State Library of New South Wales who kitchen-tested the recipes.*

*The Publisher gratefully acknowledges Alitalia and the Italian State Tourism Board (ENIT) for the photographs they supplied.*

*Special thanks to the Hon. Franca Arena, AM, MLC, without whose support this book could not have been produced.*

Published in 1994 by the State Library of New South Wales Press, Macquarie Street, Sydney 2000, Australia

Copyright © State Library of New South Wales Press 1994

Text © The National Italian–Australian Women's Association 1994

Edited by Anna Macdonald

Designed by Joanne Miller and Andrew Azzopardi
Azzopardi & Partners

Maps by Bruce Richards

Printed in Australia by Griffin Press
on 118gsm Evergreen Matt Natural

National Library of Australia Cataloguing-in-Publication data:

Buon appetito: regional Italian recipes: ricette regionali italiane.

Includes index.

ISBN 0 7305 8919 6

1. Cookery, Italian. 2. Italy — Social life and customs. I. National Italian–Australian Women's Association.

641.5945

## RINGRAZIAMENTI

*I nostri riconoscenti ringraziamenti ai membri del comitato dell'Associazione Nazionale Donne Italo–Australiane per il loro contributo e collaborazione:*

*Giulia Bonacina, Carmen Lavezzari, Antonietta Carraro, Francesca Lazzarino, Carolina Carraro, Caterina Murgida, Bruna Cernicchi, Gina Papa, Gloria De Vincenti, Nadia Pedulla, Laura Didonè, Luisa Perugini, Simone Grandjean, Stefania Vetrano, Pina Kavo.*

*Particolari ringraziamenti ai membri dell'Associazione Sarda e Associazione Marche.*

*Un ringraziamento particolare a Bruna Cernicchi e Laura Didonè per il loro impegno ed eccellente lavoro.*

*Vorremmo ringraziare Lesley Payne e il resto del personale della Biblioteca di Stato del N.S.W. che con entusiasmo hanno provato le ricette.*

*L'Editore riconoscente ringrazia l'Alitalia e l'Ente Nazionale Italiano per il Turismo (E.N.I.T.) che hanno fornito le fotografie.*

*Speciali ringraziamenti alla Senatrice Franca Arena, AM, MLC, senza il cui appoggio questo libro non sarebbe stato pubblicato.*

Pubblicato nel 1994 dalla Biblioteca di Stato del New South Wales Macquarie Street, Sydney 2000, Australia

Copyright © Tipografia della Biblioteca di Stato del New South Wales. 1994

Testo © Associazione Nazionale Donne Italo–Australiane 1994

Redazione di Anna Macdonald

Disegni di Joanne Miller e Andrew Azzopardi
Azzopardi & Partners

Mappe di Bruce Richards

Stampato in Australia dalla Tipografia Griffin su 118gsm Evergreen Matt Natural

Pubblicazione catalogata dalla Biblioteca Nazionale d'Australia:

Buon appetito: regional Italian recipes: ricette regionali italiane.

Incluso indice.

ISBN 0 7305 8919 6

1. Cucina italiana. 2. Italia — Vita sociale e tradizioni. I. Associazione Nazionale Donne Italo–Australiane.

641.5945

# CONTENTS
## *Sommario*

JOLLY STUDIO

Dear Readers,
    *Cari lettori,*

Food has always been important in Italian culture. Family feuds and strong disagreements
    *Nella cultura italiana il cibo è sempre stato importanta. Molto spesso antagonismi e gravi*
often have been overcome at the family table. Women of Italian background have inherited
    *disaccordi familiari sono stati risolti a tavola. Le donne di origine italiana hanno imparato*
their cooking abilities from their mothers and grandmothers and have given to the world some
    *a cucinare dalle loro madri e dalle loro nonne e hanno saputo creare cibi deliziosi e*
of the most delicious and appetising foods. We as Italian–Australian women of Sydney have
    *appetitosi, conosciuti in tutto il mondo. Noi, donne italo-australiane di Sydney, abbiamo*
decided to share some of our secret recipes with you and hope that you will enjoy these mouth-
    *deciso di condividere con voi le nostre ricette personali, fiduciose che gusterete questi invitanti*
watering dishes with your family.
    *piatti con la vostra famiglia. In Italia si dice che il cibo deve essere preparato con amore,*
In Italy, we say that food has to be made with love, laid down on a beautiful table and eaten
    *disposto su una tavola ben imbandita e consumato con gioia. In questo modo noi italiani*
with joy. This is how we Italians enjoy our food and this is how we hope you will, too.
    *gustiamo a buona tavola e ci auguriamo che altrettanto farete voi.*
Buon appetito to you all!
    *Buon appetito a tutti!*

Franca Arena, President, National Italian–Australian Women's Association
    *Franca Arena, Presidente, Associazione Nazionale Donne Italo–Australiane*

The committee of the National Italian–Australian Women's Association. Il comitato dell'Associazione Nazionale Donne Italo–Australiane. Back row, from left: Dietro da sinistra: Gloria De Vincenti, Carmen Lavezzari, Giulia Bonacina, Laura Didonè, Simone Grandjean, Pina Kavo, Gina Papa. Front row, from left: Davanti da sinistra: Bruna Cernicchi, Stefania Vetrano, Franca Arena, Caterina Murgida, Nadia Pedulla. Missing from the photo: Mancano nella foto: Antonietta Carraro, Carolina Carraro, Francesca Lazzarino, Luisa Perugini.

# ABRUZZI

The landscape in Abruzzi ranges in diversity, from the bitter Adriatic Sea to the highest peaks of the Apennines. It is a place where you can find the best of Italian fishing and, in the Parco Nazionale d'Abruzzi (Abruzzi National Park), the best of Italian hunting. Here, bears, wolves and other wild animals are protected by law; along the rest of the Italian peninsula these animals are almost extinct.

L'Aquila is the capital of the region. Chieti, Pescara and Teramo are other important cities.

In Abruzzi, panarda is still practised. This is the ritual of being served an enormous lunch of every specialty of the region's cuisine (consequently, lunch quite often continues until the early hours of the morning!).

Shepherds are an integral part of the Apennines, and when you say shepherd you say cheese. As well as pecorino cheese, the Abruzzi shepherds are experts at producing the famous scamorze. The centres of production are the towns of Rivisondoli and Pescocostanzo. Abruzzi is also famous for its porchetta, a young pig boned and roasted whole (this dish is also popular in the regions surrounding Abruzzi).

On the Adriatic coast lies the town of Pescara, the seafood capital of Abruzzi. Its biggest rival is Vasto, a large fishing port where scapece is made. This is a formidable dish where the fish is marinated in vinegar and coloured with saffron. In Italy, saffron is

*Chamois on Mt Caparo in Abruzzi National Park*
*Camosci sul Monte Capraro nel Parco Nazionale d'Abruzzi*

almost exclusively produced in Abruzzi; in fact, this saffron is known throughout Italy and other European countries as Zafferano d'Aquila (Aquila's saffron).

The best red wines of the region are Cerasuolo d'Abruzzi and Aquila's Montepulciano. Trebbiano is an excellent white wine, served with seafood.

L'Abruzzi è una regione dalle caratteristiche fisiche varie: si va dal mare, l'amarissimo Adriatico, alle cime più alte degli Appennini. È una terra dove si trovano sia i migliori pescatori italiani e che i migliori cacciatori nella riserva di caccia (il Parco Nazionale d'Abruzzi), in cui sopravvivono gli ultimi orsi, i lupi e gli animali selvatici, che sono quasi estinti nel resto della penisola.

Il capoluogo della regione è l'Aquila, altre città importanti sono: Chieti, Pescara e Teramo.

In Abruzzi si pratica ancora oggi il rito della "panarda", un colossale pranzo che inizia a mezzogiorno con ogni specialità della cucina regionale, di conseguenza molto spesso si protrae fino alle ore piccole del mattino seguente.

I pastori sono parte integrale degli Appennini e parlare dei pastori equivale a parlare dei formaggi. A parte il pecorino, i pastori abruzzesi sono esperti nel preparare le famose scamorze. I centri di produzione sono a Rivisondoli ed a Pescocostanzo. L'Abruzzi è famoso anche per la sua porchetta, un maialino disossato ed arrostito intero, piatto che viene pure cucinato nelle regioni confinanti.

Sull'Adriatico c'è Pescara la capitale del pesce. Sua grande rivale è Vasto, porto di pescatori dove si prepara lo scapece un piatto formidabile di pesce marinato con aceto e colorato con lo zafferano. In Italia lo zafferano è prodotto quasi esclusivamente in Abruzzi ed è conosciuto in tutta Italia ed in altri paesi europei come lo "zafferano dell'Aquila".

I vini rossi più conosciuti della regione sono il Cerasuolo d'Abruzzi ed il Montepulciano. Il Trebbiano è un eccellente vino bianco molto adatto al pesce.

*Manzi's Palace in Pescocostanzo (L'Aquila)*
*Il palazzo Manzi a Pescocostanzo (L'Aquila)*

ENIT

# EGGPLANT QUICHE
## Timballo di Melanzane

<table>
<tr><td>

## INGREDIENTS

*4 medium eggplants, sliced*
*salt*
*plain flour*
*olive oil for frying*
*60g butter*
*150g prosciutto, thinly sliced*
*250g bocconcini cheese, sliced*
*4 eggs, beaten with salt*

</td><td>

## INGREDIENTI

*4 melanzane medie tagliate a fette*
*sale q.b.*
*farina q.b.*
*olio per friggere*
*60g di burro*
*150g di prosciutto crudo affettato*
*250g di bocconcini tagliati a fette*
*4 uova sbattute con sale*

</td></tr>
</table>

## METHOD

Heat the oven to 180°C. Sprinkle the eggplant pieces with salt to remove the bitterness. Leave for one hour. Rinse, then pat dry and roll lightly in flour. Heat oil in a frying pan and cook the eggplant in small batches until brown on both sides. Drain on absorbent paper. Grease an ovenproof dish with butter. Arrange the eggplant on the bottom, then add a layer of prosciutto, dabs of butter and a layer of bocconcini. Continue in this manner until all the ingredients have been used (end in a layer of eggplant with dabs of butter). Pour the eggs over the layers. Bake for 30 minutes or until the cheese has melted.

*Serves 6*

## METODO

Riscaldare il forno a 180°C. Spolverate le melanzane con sale per togliere l'amaro e lasciatele per circa un'ora. Sciacquatele ed asciugatele bene ed infarinatele. Poi friggetele in olio bollente a piccole quantità facendole dorare da ambo le parti. Mettetele ad asciugare su carta assorbente. Imburrate una pirofila, mettete uno strato di melanzane, uno di fettine di prosciutto, qualche fiocchetto di burro ed uno strato di bocconcini affettati. Continuate così fino all'esaurimento di tutti gli ingredienti, terminando con uno strato di melanzane e con fiocchetti di burro. Versateci sopra le uova sbattute e cucinate al forno per 30 minuti finchè il formaggio si sarà sciolto.

*6 persone*

# SHEPHERD'S PASTA
## Pasta alla Pecorara

This was a favourite recipe of the shepherds who took their flocks to the mountains for the summer.

### INGREDIENTS

*8 or 10 thick continental pork sausages*
*500g ricotta cheese*
*800g penne or rigatoni*
*salt for water*
*100g pecorino cheese, grated*
*freshly ground pepper to taste*

### METHOD

Remove the skin from the sausages. Heat a frying pan. Break the sausages into small pieces and fry. Put aside. Beat the ricotta with a fork until smooth and creamy. Cook the pasta in a large saucepan with plenty of salted, boiling water until al dente. Drain. Add the sausages and ricotta to the hot pasta. Sprinkle with the pecorino and pepper.

*Serves 6*

Questa era la ricetta preferita dai pastori che portavano il gregge in montagna e vi rimanevano per tutta l'estate.

### INGREDIENTI

*8 o 10 salsicce di maiale*
*500g di ricotta*
*800g di penne o rigatoni*
*sale per l'acqua*
*100g di pecorino grattugiato*
*pepe fresco macinato q.b.*

### METODO

Togliete la pelle dalle salsicce. Mettete sul fuoco una padella e sbriciolatevi le salsicce soffriggendole, mettetele da parte. Schiacciate la ricotta con una forchetta per ottenere un composto soffice. Cucinate la pasta in una pentola con abbondante acqua bollente salata ed a cottura ultimata, scolatela e conditela con la salsiccia soffritta, la ricotta e, per finire, aggiungete il pecorino ed il pepe.

*6 persone*

# VASTESE FISH STEW
## Stufato di Pesce alla Vastese

### INGREDIENTS

*1½kg mixed seafood*
*(whatever is available: cod, mullet, sole, calamari,*
*cuttlefish, clams, lobster, mussels)*
*½ cup olive oil*
*3 cloves garlic, crushed*
*10 dried chillies, chopped*
*1 cup red wine vinegar*
*salt, pepper to taste*
*small bunch of parsley, chopped*
*12 slices of Italian-style bread*

### INGREDIENTI

*1½kg di pesce*
*(quando è possibile: merluzzi, sogliole, calamari,*
*seppie, vongole, aragoste e cozze)*
*½ tazza di olio d'oliva*
*3 spicchi d'aglio schiacciati*
*10 peperoncini secchi a pezzi*
*1 tazza d'aceto di vino rosso*
*sale e pepe q.b.*
*1 ciuffo di prezzemolo tritato*
*12 fette di pane tipo italiano*

### METHOD

Clean the fish. Cut the larger fish into small pieces. Heat the oil in a large pot (preferably terracotta). Add the garlic and chillies. Brown over a high heat for a couple of minutes. Remove the chillies and pound them in a mortar. Dilute this with the vinegar, then add to the fried garlic. Mix, then add the fish (the larger pieces first). Reduce the heat. Add salt, pepper and the parsley. Cover and cook slowly for about 20 minutes. Arrange the bread on a serving dish. Remove the fish carefully and place on the bread. Serve hot.

*Serves 6*

### METODO

Pulite il pesce. Tagliate i pesci più grossi a pezzi piccoli. Scaldate l'olio in un recipiente largo (preferibilmente di terracotta) aggiungete l'aglio ed i peperoncini a pezzi. Lasciate cucinare a fuoco alto per qualche minuto. Togliete i peperoncini e pestateli nel mortaio, diluite con l'aceto e versate il tutto sull'aglio che frigge. Mescolate bene ed aggiungete dunque il pesce (i pezzi più grossi prima). Riducete la fiamma ed aggiungete sale, pepe e prezzemolo. Coprite e lasciate cucinare a fuoco lento per circa 20 minuti. In un piatto di portata sistemate il pane già affettato, togliete attentamente il pesce dal tegame e sistematelo sui pezzi di pane. Servite caldo.

*6 persone*

# LETTESE RAVIOLI
## *Ravioli alla Lettese*

| INGREDIENTS | INGREDIENTI |
|---|---|

### DOUGH
300g plain flour
3 eggs, beaten
salt to taste

### FILLING
1kg ricotta cheese
3 eggs, beaten
100g pecorino cheese, grated
2 tablespoons parsley, finely chopped
salt to taste

### PER LA PASTA
300g di farina
3 uova sbattute
sale q.b.

### PER IL RIPIENO
1kg di ricotta
3 uova sbattute
100g di pecorino grattugiato
2 cucchiai di prezzemolo tritato
sale q.b.

| METHOD | METODO |
|---|---|

Make a well in the flour, add the eggs and salt, and mix well. Knead the dough until smooth and elastic. Cover with a teatowel and let stand for 30 minutes. Place the ricotta in a bowl. Add the eggs, pecorino, parsley and salt. Mix well. With a rolling pin, roll out the dough into a circular shape about 2mm thick. Using a pastry wheel with a serrated edge, cut the dough into discs. Place a teaspoon of the filling on each disc, then fold each disc to form a half-moon shape. Press firmly around the filling with your fingers. Lower the ravioli gently into a saucepan of salted, boiling water. When the water returns to the boil, cook the ravioli for about 5 minutes. Drain. Serve with a simple tomato sauce and sprinkle with pecorino.

*Serves 6*

Sistemate la farina a fontana e mettete al centro le uova già sbattute con il sale. Impastate bene e lavorate la pasta fin quando sarà liscia ed elastica. Copritela e lasciatela riposare per mezz'ora. Mettete la ricotta in una ciotola, aggiungete le uova, il pecorino, il prezzemolo, il sale e mescolate bene il tutto. Tirate la pasta in una sfoglia di circa 2mm di spessore. Con una rotellina dentata tagliate la pasta in dischi, mettete al centro di ogni disco un cucchiaino di ripieno e ripiegate la sfoglia sul ripieno, dandole la forma di una mezzaluna. Esercitate pressione con le dita lungo il bordo in maniera da sigillare bene. Immergete i ravioli nell'acqua bollente già salata e lasciateli cucinare per circa 5 minuti. Scolateli e conditeli con una semplice salsa di pomodoro ed una manciata di pecorino.

*6 persone*

# MAIELLA STUFFED "BIRDS"
## *Cigliucci della Maiella*

These birds are a traditional sweet usually made at Christmas time.

## INGREDIENTS

### PASTRY
*300g plain flour, 2 eggs, beaten*
*2 tablespoons olive oil*
*2 tablespoons caster sugar*

### FILLING
*200g dried figs, chopped*
*1 small jar each of grape, fig and plum jams*
*¼ cup dry marsala*
*200g walnut kernels, chopped*
*200g chick peas, cooked and mashed*
*2 tablespoons honey*
*1 teaspoon vanilla essence*
*pinch of cinnamon, butter and flour for tray*

## METHOD

Heat the oven to 180°C. In a large mixing bowl, combine the flour, eggs, oil and sugar. Knead the dough well, then roll it out until very thin (about 2mm). With a 7cm round pastry cutter, cut as many rounds as possible and put aside. Place the figs, jams, marsala, walnuts, chick peas, honey, vanilla essence and cinnamon in a saucepan. Stir well, then simmer for about 20 minutes. Allow to cool. Place a tablespoon of this mixture on each pastry round, then fold each round in half and press the edges firmly together. Place the birds on a greased and floured baking tray and bake for 30 minutes.

*Makes about 25-30*

I "Cigliucci" sono dolci tradizionali che vengono preparati a Natale.

## INGREDIENTI

### PER LA PASTA
*300g di farina, 2 uova sbattute*
*2 cucchiai di olio d'oliva, 2 cucchiai di zucchero*

### PER IL RIPIENO
*200g di fichi secchi tritati*
*piccoli vasetti di marmellata di uva, fichi e prugne*
*¼ di tazza di marsala secco, 200g di noci tritate*
*200g di ceci cotti e passati, 2 cucchiai di miele*
*1 cucchiaino di vaniglia, 1 pizzico di cannella*
*burro e farina per la teglia*

## METODO

Scaldate il forno a 180°C. In un recipiente capace mettete la farina, le uova, l'olio e lo zucchero e mischiate bene. Lavorate la pasta energicamente, tiratela con il mattarello in una sfoglia sottile di 2mm circa e ritagliate dei dischi del diametro di 7cm. In una casseruola mettete i fichi, le marmellate, il marsala, le noci tritate, i ceci, il miele, la vaniglia e la cannella. Ponete la casseruola sul fuoco e fate cucinare per 20 minuti mescolando, poi lasciate raffreddare. Mettete un cucchiaio di ripieno su ogni disco e chiudetelo a forma di raviolo pressando bene lungo i bordi. Mettete i dolci su una placca da forno imburrata ed infarinata e cuoceteli nel forno per 30 minuti.

*Se ne possono ricavare 25-30*

# CALABRIA

Cosenza •

• Catanzano

• Reggio Calabria

*Fishing nets in the sun, Briatico (Catanzaro)*
*Reti da pesca stese al sole, Briatico (Catanzaro)*

Calabria, in the midst of the Mediterranean Sea, is surrounded by the Tyrrhenian Sea and the Ionian Sea, where fishing is at its best. Calabria is separated from Sicily by the Strait of Messina, three kilometres wide.

The countryside preserves nature in its entirety. The Apennines dominate the region and condition its life, giving little breathing space for agriculture. Nevertheless, in the hills the farmers grow magnificent products: flowers, including lavender for its essence, green vegetables, legumes, olives and citrus fruits. Among them are the bergamotto from which essence is extracted for the production of world-known perfumes.

Calabria has three provinces. The major cities are Reggio Calabria which was shaken to the ground by an earthquake in 1908, but then rebuilt bigger and better, Cosenza at the foot of the Sila, and Catanzaro (the capital) with its wealth of churches and museums.

Calabrian cuisine is very spicy and full of flavour, enriched with chilli and aromatic herbs.

La Calabria è una regione immersa nel Mediterraneo, circondata dal Mar Tirreno e dal Mar Ionio, dove la pesca è molto attiva. La Calabria è separata dalla Sicilia dallo Stretto di Messina largo 3 chilometri.

Il paesaggio conserva inalterata la sua primitività e la sua natura selvaggia. Gli Appennini dominano la regione e ne condizionano la vita, infatti danno poco respiro all'agricoltura del paese, però nelle colline i contadini producono diverse cose, come per esempio, i fiori, le verdure, i legumi, le olive e sopratutto gli agrumi. Si coltivano anche il bergamotto e la lavanda da cui si estraggono essenze per la produzione di profumi conosciuti in tutto il mondo.

La Calabria ha 3 province. Le maggiori città sono Reggio Calabria che fu distrutta da un terremoto nel 1908 e fu poi ricostruita più grande e più bella, Cosenza ai piedi della Sila e Catanzaro, il capoluogo della regione, ricca di chiese e di musei.

La cucina della Calabria è ricca di spezie e si usano molto il peperoncino rosso e le erbe aromatiche.

*Vineyards in Cosenza's countryside*    *Vigneti nella campagna di Cosenza*

# EGGPLANT PASTA
## *Penne alla Calabrese con Melanzane*

### INGREDIENTS

*1 onion, chopped*
*olive oil for frying*
*800g tomatoes*
*pinch of salt*
*2 pinches of ground chilli*
*4 tablespoons olive oil*
*2 large eggplants, sliced*
*salt for water*
*800g penne*
*handful of parmesan cheese, grated*

### METHOD

In a frying pan, sauté the onions in oil. Add the tomatoes and the salt, and simmer over a low heat. Stir occasionally until cooked, then blend and pour into a dish. Add a pinch of chilli and the oil and let stand for 5 minutes. Leave the eggplant pieces in salted water for 10 minutes. Squeeze out the excess liquid, then fry the eggplant in hot oil until golden. Put aside. Cook the pasta in a saucepan with salted, boiling water until al dente. Drain. Add the tomato sauce. Sprinkle with the parmesan. Serve with another pinch of chilli and the eggplant.

*Serves 6*

### INGREDIENTI

*1 cipolla tritata*
*olio d'oliva per friggere*
*800g di pomodori*
*1 pizzico di sale*
*2 pizzichi di peperoncino tritato*
*4 cucchiai di olio d'oliva*
*2 grosse melanzane affettate*
*sale per l'acqua*
*800g di penne*
*1 manciata di parmigiano grattugiato*

### METODO

In un tegame mettete a rosolare la cipolla, aggiungete il pomodoro ed il sale e cucinate a fuoco lento finchè saranno cotti, mescolando di tanto in tanto. Passate i pomodori nel frullatore e versate la salsa in un tegame, aggiungendovi un pizzico di peperoncino e l'olio. Lasciate cucinare per 5 minuti. Intanto affettate le melanzane e ponetele in acqua e sale per 10 minuti. Poi strizzatele e mettetele a friggere in olio bollente finchè diventano dorate. Sistematele in un piatto e mettetele da parte. In una pentola d'acqua bollente e salata, cucinate le penne al dente, scolatele e conditele con la salsa di pomodoro. Cospargetele con il parmigiano e servitele aggiungendo ancora un pizzico di peperoncino e le melanzane.

*6 persone*

# MUSSELS IN SPICY SAUCE
## *Cozze in Salsa Piccante*

### INGREDIENTS

*2 cloves garlic, finely chopped*
*olive oil for frying*
*1kg fresh mussels in shells, cleaned*
*2 anchovy fillets, chopped (optional)*
*125ml white wine*
*125ml vinegar*
*1 tablespoon parsley, finely chopped*
*freshly ground pepper to taste*

### INGREDIENTI

*2 spicchi d'aglio tritati*
*olio d'oliva per friggere*
*1kg di cozze*
*2 filetti di acciughe a pezzetti (a piacere)*
*125ml di vino bianco*
*125ml d'aceto*
*1 cucchiaio di prezzemolo tritato*
*pepe fresco macinato q.b.*

### METHOD

In a frying pan, brown the garlic with oil. Add the mussels, then the anchovies (if desired). Add the wine and the vinegar a little at a time. Cook until the liquid has reduced, then add the parsley and pepper, and serve.

*Serves 4-6*

### METODO

Pulite le cozze, lavatele e mettetele da parte. In una padella con olio caldo, imbiondite l'aglio. Unitevi le cozze ed i filetti di acciughe, giratele per qualche minuto ed aggiungete il vino e l'aceto poco per volta. Non appena il liquido sarà evaporato, conditele con una buona cucchiaiata di prezzemolo ed un pizzico di pepe e servitele.

*4-6 persone*

# POTATO CROQUETTES
## *Crocchette di Patate*

### INGREDIENTS

*6 potatoes, peeled and sliced*
*50g butter*
*salt, pepper to taste*
*pinch of nutmeg*
*1 egg yolk, beaten*
*plain flour*
*1 egg, beaten*
*dry breadcrumbs*
*olive oil for frying*

### INGREDIENTI

*6 patate pelate e tagliate a pezzi*
*50g di burro*
*sale e pepe q.b.*
*1 pizzico di noce moscata*
*1 tuorlo sbattuto*
*farina*
*1 uovo sbattuto*
*pangrattato*
*olio d'oliva per friggere*

### METHOD

Boil the potatoes until they are cooked, then drain and let cool, and mash with the butter. Season with salt, pepper and nutmeg. Add the egg yolk, and mix well. Form small portions into balls. Roll these croquettes in flour, then the egg, then breadcrumbs. Deep fry in hot oil and serve immediately.

*Serves 6*

### METODO

Bollite le patate e quando sono cotte, scolatele e lasciatele raffreddare, poi passatele a purè. Aggiungete il burro, il sale, il pepe e la noce moscata. Poi unitevi il tuorlo sbattuto e mescolate bene. Prendete delle piccole porzioni dell'impasto ottenuto e fatene delle crocchette che passerete nella farina, poi nell'uovo sbattuto e per finire nel pangrattato. Friggetele in abbondante olio bollente e servitele caldissime.

*6 persone*

# SAUSAGES WITH POTATOES
## *Salsicce con Patate*

### INGREDIENTS

*12 spicy sausages*
*1 onion, chopped*
*2 tablespoons olive oil*
*6 potatoes, peeled and chopped*
*pinch of salt*
*freshly ground pepper to taste*
*½ cup red wine*

### INGREDIENTI

*12 salsicce piccanti*
*1 cipolla tritata*
*2 cucchiai di olio d'oliva*
*6 patate pelate e tagliate a pezzi*
*1 pizzico di sale*
*pepe fresco macinato q.b.*
*½ tazza di vino rosso*

### METHOD

Parboil the sausages, then slice them lengthways and fry with the onion in the oil. Put aside. Parboil the potatoes, then fry them with salt in the oil the sausages were cooked in. When the potatoes are cooked, return the sausages to the pan with some pepper and the wine. Simmer until the wine has evaporated.

*Serves 6*

### METODO

Bollite le salsicce per qualche minuto. Tagliatele a metà nel senso della lunghezza, friggetele con la cipolla e mettetele da parte. Bollite le patate per alcuni minuti, scolatele e lasciatele raffreddare, aggiungete del sale e friggetele nello stesso olio delle salsicce. Quando le patate saranno ben dorate, unitevi le salsicce, il pepe ed il vino. Lasciate cucinare a fuoco lento finchè il vino sarà evaporato.

*6 persone*

### PERFECT PASTA

*Bring a large saucepan of water to the boil and add a generous pinch of salt (there is no need to add oil to the water). Add the pasta to the boiling water (about 150g for each person). When the water returns to the boil, stir the pasta so that it does not stick together. While the pasta is cooking, prepare a sauce. When the pasta is al dente, drain (do not rinse) and return to the pan. Mix in the sauce and serve immediately.*

### PASTA AL DENTE

*Portare a bollore l'acqua in una larga pentola e aggiungere un generoso pizzico di sale (non è necessario aggiungere olio all'acqua). Versare la pasta nell'acqua (circa 150g per persona). Quando l'acqua riprende il bollore mescolare perchè la pasta non si attacchi. Mentre la pasta cucina, preparare la salsa. Quando la pasta è cotta al dente, scolarla (senza risciacquarla) e versarla nel tegame. Mescolare la salsa e servire immediatamente.*

# CHRISTMAS SCALILLE
## *Scalille di Natale*

### INGREDIENTS

*3 eggs, plus 7 egg yolks*
*1 tablespoon caster sugar*
*1 teaspoon melted lard*
*½ cup anisette liqueur*
*pinch of salt*
*plain flour as required*
*butter for skewer*
*thick skewer*
*olive oil for frying*
*honey*

### INGREDIENTI

*3 uova, più 7 tuorli*
*1 cucchiaio di zucchero*
*1 cucchiaino di strutto*
*½ tazza di liquore all'anice*
*1 pizzico di sale*
*farina q.b.*
*burro per ungere lo spiedo*
*spiedo*
*olio d'oliva per friggere*
*miele*

### METHOD

Beat the eggs and the egg yolks with the sugar. Add the lard, anisette, salt and enough flour to make a soft dough. Knead the dough. Roll out, then cut into lengths about 5cm long and as wide as your little finger. Wind these pieces of dough around a thick greased skewer, then gently remove them, maintaining their shape and hollowed centre. Deep fry in hot oil and drain on absorbent paper. Brush with honey while still hot. Let cool before serving.

*Serves 10*

### METODO

Sbattete le uova ed i tuorli con lo zucchero, quindi aggiungete il lardo fuso, il liquore, il sale e la farina, quanto basta per ottenere una pasta morbida. Lavoratela e ricavatene dei piccoli cilindri (lunghi circa 5cm, del diametro di un dito mignolo), attorcigliateli attorno ad uno spiedo, unto di burro, che poi sfilerete gentilmente per conservarne la forma. Friggete le scalille in olio bollente, lasciatele sgocciolare su carta da cucina, spennellatele con miele, quando sono ancora calde. Lasciatele raffreddare prima di servirle.

*10 persone*

# CAMPANIA

Naples

Salerno

Campania is a region in southern Italy on the Tyrrhenian Sea between the Carigliano River and the Gulf of Policastro. Campania includes the provinces of Avellino, Benevento, Caserta, Naples and Salerno.

The region is very mountainous and hilly and its coastal lowlands north of Naples and south to Salerno are separated by the volcanic regions around the Bay of Naples. These lowlands are very fertile and extensively cultivated. There are hectares of fields and orchards that grow some of the best fruit and vegetables in Italy. The Bay of Naples fishing is also important.

The cuisine of Campania revolves around the tomato. The tomato is cooked as little as possible to retain its brightness and is used to spread over pizza and to smother pasta.

The wines of Campania are very refreshing and go so well with the local food that they seem to have been created around the local dishes. There is a legend about one of the wines produced in this area, Lacrima Christi (Christ's tear). A long time ago, Lucifer was thrown out of Paradise and he settled, amid a flurry of thunderclaps and volcanic eruptions, in the Bay of Naples, at the gates of Paradise. The city and surrounds soon became a place of sin and debauchery. Christ, who liked to meditate on the slopes of Vesuvius overlooking the Bay of Naples, saw that his earthy paradise had become a hell. A tear fell from his eye and, as legend goes, a vine sprang up where it fell.

*The Gulf of Naples and Mt Vesuvius*    *Il golfo di Napoli e il Vesuvio*

La Campania è una regione dell'Italia meridionale, che si estende tra il mar Tirreno, il fiume Carigliano ed il golfo di Policastro. La Campania comprende le provincie di Avellino, Benevento, Caserta, Napoli (capoluogo) e Salerno.

L'entroterra della regione è montuoso, mentre la costa a nord di Napoli ed a sud di Salerno è pianeggiante ed interrotta dalla zona di origine vulcanica che circonda il golfo di Napoli. Le pianure costiere sono fertili ed intensamente coltivate.Ci sono ettari di piantagioni di frutta e di verdura considerate le migliori d'Italia. Anche la pesca assume un ruolo importante nel golfo di Napoli in particolare.

Il pomodoro è l'elemento principale della cucina campana, cucinato il meno possibile per conservare il suo brillante colore, viene usato sulla pizza o per condire tutti i tipi di pasta.

I vini della Campania sono ottimi e si adattano

*Fishing boats in the Port of Naples*     *Barche di pescatori nel porto di Napoli*

così bene ai piatti tipici della regione che sembrano essere stati creati appositamente. C'è una leggenda legata ad un vino, che si produce in questa zona, il "Lacrima Christi". Molto tempo fa Lucifero, cacciato dal Paradiso, si stabilì fra tuoni ed eruzioni vulcaniche nel golfo di Napoli, un meraviglioso luogo alle porte del Paradiso. La città e dintorni divennero ben presto luoghi di peccato e di dissoluzione. Cristo, che amava meditare sulle pendici del Vesuvio, proprio di fronte al bel golfo di Napoli, si accorse che il suo Paradiso terrestre si era trasformato in un inferno. Una lacrima allora scivolò giù dai suoi occhi e cadde a terra ed in quello stesso posto germogliò una vite, che, come dice la leggenda, fu chiamata Lacrima Christi.

*The New Castle in Naples*     *Castel Nuovo a Napoli*

# VESUVIAN FUSILLI

## *Fusilli alla Vesuviana*

## INGREDIENTS

*salt for water*
*4 litres boiling water*
*400g fusilli*
*5 tablespoons olive oil*
*2 cloves garlic, chopped*
*400g ripe tomatoes*
*125g mozzarella cheese, cubed*
*75g pecorino cheese, grated*
*generous pinch of oregano*
*salt, pepper to taste*
*5 leaves of basil, chopped*

## INGREDIENTI

*sale per l'acqua*
*4 litri d'acqua*
*400g di fusilli*
*5 cucchiai di olio d'oliva*
*2 spicchi d'aglio tritato*
*400g di pomodori ben maturi a pezzi*
*125g di mozzarella a dadini*
*75g di pecorino grattugiato*
*1 buon pizzico di origano*
*sale e pepe q.b.*
*5 foglie di basilico a pezzetti*

## METHOD

Heat the oven to 220°C, then switch off. In a large saucepan of salted, boiling water, add the pasta and cook until al dente. At the same time, heat the oil in a frying pan, then sauté the garlic. Add the tomatoes and cook for a few minutes, then add the mozzarella, pecorino, oregano, salt and pepper. Stir over a medium heat, then cover and simmer gently for the time it takes for the pasta to cook. When the pasta is al dente, drain and place in a warm dish. Pour the sauce over the pasta and mix. Place in the oven (unlit) for 5 minutes. Garnish with the basil and serve.

*Serves 4*

## METODO

Scaldate il forno a 220°C e poi spegnetelo. Ponete sul fuoco una pentola con dell'acqua, quando bolle salatela e cuocetevi la pasta al dente. Intanto mettete l'olio in una padella e fatevi rosolare l'aglio, aggiungete i pomodori a pezzi e lasciate cucinare per alcuni minuti, infine aggiungete la mozzarella, il pecorino, l'origano, il sale ed il pepe. Mescolate, coprite e lasciate cucinare a fuoco lento, mentre aspettate che si cucini la pasta. Quando i fusilli sono pronti, scolateli e versateli in una pirofila pre-riscaldata, conditeli con il sugo e mescolate. Metteteli al forno (spento) per circa 5 minuti. Guarniteli con il basilico e serviteli.

*4 persone*

# NEAPOLITAN SARDINES
## *Sarde alla Napoletana*

### INGREDIENTS

*750g fresh sardines*
*½ cup olive oil*
*salt, pepper to taste*
*generous pinch of oregano*
*3 cloves garlic, crushed*
*8 ripe tomatoes, chopped*
*2 cloves garlic, chopped finely*
*3 tablespoons parsley, chopped*

### INGREDIENTI

*750g di sarde fresche*
*½ tazza di olio d'oliva*
*sale e pepe q.b.*
*1 buon pizzico di origano*
*3 spicchi d'aglio schiacciati*
*8 pomodori maturi tagliati a pezzetti*
*2 spicchi d'aglio tritati*
*3 cucchiai di prezzemolo fresco tritato*

### METHOD

Heat the oven to 200°C. Gut the sardines and remove the heads. Wash and dry the fish carefully. Pour half of the oil into an ovenproof dish, then place the fish in it side by side. Sprinkle the fish with salt, pepper, oregano and the crushed garlic. Mix the tomatoes and chopped garlic together, then pour over the fish. Sprinkle the parsley on top. Pour the remaining oil gently into the dish and cook for 20 minutes. Serve with a green salad and fresh, crusty bread.

*Serves 4*

### METODO

Scaldate il forno a 200°C. Pulite le sarde togliendo le teste e l'interno. Lavatele ed asciugatele con cura. Versate la metà dell'olio in una teglia adatta al forno e sistemate le sarde in fila una accanto all'altra. Cospargete di sale, pepe ed origano ed aggiungete l'aglio schiacciato. Mischiate i pomodori con l'aglio, quindi versate il tutto sui pesci, aggiungendo anche il prezzemolo. Versate il rimanente olio sulle sarde e mettetele in forno per circa 20 minuti. Servitele con un'insalata verde e con del pane croccante.

*4 persone*

# STUFFED PIZZA
## *Calzone*

## INGREDIENTS

For this recipe, there are many different pre-cooked fillings you can use (examples: anchovies or fish, salami and cheese, ham and tomatoes).

*200g ricotta cheese*
*1 egg, beaten*
*pinch of salt*
*4 tablespoons parmesan cheese, grated*
*125g mozzarella cheese, cubed*
*125g Neapolitan salami, chopped*
*plain flour*
*575g bread dough (see recipe on page 79)*
*oil for tray*

## METHOD

Heat the oven to 200ºC. Place the ricotta in a bowl, add the egg and mix carefully. Add the salt, parmesan, mozzarella and salami. Mix. Lightly flour the work bench and roll out the bread dough into a large circle about 5mm thick. Spread the ricotta mixture in the centre of the dough. Fold the dough in half and press the edges together, sealing it like an envelope. Place on a greased baking tray and bake for 30 minutes.

*Serves 4*

## INGREDIENTI

Si possono usare diversi ingredienti per il ripieno (per esempio: acciughe o pesce, salami e formaggio, prosciutto e pomodori).

*200g di ricotta*
*1 uovo sbattuto*
*1 pizzico di sale*
*4 cucchiai di parmigiano grattugiato*
*125g di mozzarella tagliata a cubetti*
*125g di salame napoletano tagliato a pezzetti*
*farina*
*575g di pasta già lievitata (ricetta a pag. 79)*
*olio per ungere la teglia*

## METODO

Scaldate il forno a 200ºC. Schiacciate la ricotta in un recipiente, aggiungete l'uovo, il sale, il parmigiano, la mozzarella ed il salame e mescolate bene. Infarinate il piano di lavoro e con il mattarello stendete la pasta in una sfoglia circolare di circa 5mm di spessore. Mettete poi il ripieno al centro della pasta e spargetelo con il cucchiaio. Piegate la pasta a metà e fate pressione sui bordi chiudendo il calzone come fosse una busta. Mettetelo in una teglia già unta di olio e cuocete al forno per 30 minuti.

*4 persone*

# NEAPOLITAN STEAK
## *Bistecche alla Pizzaiola*

## INGREDIENTS

*6 thin slices of beef*
*8 tablespoons olive oil*
*2 cloves garlic, chopped*
*600g tomatoes, peeled and sliced*
*salt, pepper to taste*
*pinch of oregano*

## INGREDIENTI

*6 fette sottili di carne*
*8 cucchiai di olio d'oliva*
*2 spicchi d'aglio a pezzetti*
*600g di pomodori pelati ed affettati*
*sale e pepe q.b.*
*1 pizzico di origano*

## METHOD

Lightly beat each steak with a mallet. In a frying pan, heat the oil. Brown the garlic, then brown the steaks on both sides. Add the tomatoes and sprinkle with salt and pepper. Cook over a high heat until the liquid is boiling, then reduce the heat. Sprinkle oregano over the meat. Cover and cook until the juices have reduced and the meat is soft and tender.

*Serves 6*

## METODO

Battete leggermente la carne con il batticarne. Mettete a scaldare l'olio in una padella dove imbiondirete l'aglio e poi rosolerete le bistecche da ambo le parti. Aggiungete i pomodori quindi cospargete con sale e pepe. Cuocete a fuoco alto e quando il liquido comincia a bollire riducete il calore cospargendo la carne con origano. Coprite e lasciate cucinare finchè il sugo si riduce e la carne è tenera e morbida.

*6 persone*

# NEAPOLITAN TRIFLE
## *Zuppa Inglese alla Napoletana*

### INGREDIENTS

*12 tablespoons of your favourite liqueur*
*10 tablespoons dark rum*
*550g ricotta cheese*
*125g dark cooking chocolate, grated*
*150g granulated sugar*
*2 tablespoons vanilla essence*
*2 tablespoons water*
*300g sponge cake, cut into strips about 5cm wide*

### METHOD

Place the liqueur and almost all of the rum in a bowl. Pass the ricotta through a sieve into the bowl containing the liqueur. Mix well. Add 2 tablespoons of the chocolate and mix. In a saucepan, heat the sugar, vanilla essence and water, and stir continually until smooth. Add this to the ricotta mixture a little at a time until creamy. Place a layer of cake strips on the bottom of a bowl and sprinkle with the rest of the rum, then cover with a layer of the ricotta mixture. Repeat this procedure until all the ingredients, except the rest of the chocolate, have been used. At the end, sprinkle the chocolate on top of the trifle. Refrigerate for about 1 hour before serving.

*Serves 6*

### INGREDIENTI

*12 cucchiai del vostro liquore preferito*
*10 cucchiai di rum*
*550g di ricotta*
*125g di cioccolato grattugiato*
*150g di zucchero in granelli*
*2 cucchiai di essenza di vaniglia*
*2 cucchiai d'acqua*
*300g di pan di Spagna tagliato a strisce di 5cm circa*

### METODO

Mettete in un contenitore il liquore e quasi tutto il rum. Aggiungete la ricotta già passata al setaccio e mescolate bene. Aggiungete 2 cucchiai di cioccolato e mescolate ancora. Versate lo zucchero, l'essenza di vaniglia e l'acqua in un tegame che porrete a scaldare a temperatura media, mescolando continuamente fino ad ottenere una crema caramello. Aggiungete questa poco per volta al composto di ricotta mescolando bene. Sistemate le strisce di pan di Spagna sul fondo di un contenitore e spruzzatele con il rimanente rum. Copritele con uno strato di crema di ricotta. Ripetete questa operazione fino all'esaurimento di tutti gli ingredienti, eccetto il resto del cioccolato con cui cospargerete alla fine il dolce. Ponetelo in frigorifero per almeno un'ora prima di servirlo.

*6 persone*

# EMILIA-ROMAGNA

## RECIPES
Pork Sausage wrapped in Beef
Savoury Pasta Squares
Pork cooked in Milk
Spinach Frittata
Vignola Chocolate Cake

## RICETTE
Cotechino in Galera
Gnocco Fritto
Maiale al Latte
Erbazzone
Torta di Vignola

Emilia-Romagna, in the north of Italy, consists mainly of fertile plains. It extends from the Adriatic Coast in the east, the Po River in the north and the Apennines in the south and includes the little republic of San Marino.

The region is very prosperous due to the fertility of the soil and the entrepreneurial skills of the people. But the economy of the region is based not only on agriculture: several industries play an important role — original knitwear, the manufacture of ceramic tiles, the production of prestige motor vehicles.

The people of Emilia-Romagna have perfected the art of processing pork and are renown for their prosciutto from Parma, zampone (stuffed pig trotters) from Modena and mortadella from Bologna. This art of processing pork dates back to ancient Roman times and has been improved over the years. These smallgoods are normally served with the gnocco fritto (savoury pasta squares) on page 32. Emilia-Romagna is also the home of the famous Lambrusco, the slightly sweet and sparkling red wine.

A typical product of this region, and one that is known worldwide, is Parmigiano-Reggiano. This is, in fact, the name of the cheese, and of the company that produces parmesan cheese, and so the name is branded on each crust.

Parmesan cheese owes its fame to certain manufacturing skills that competitors have been unable to copy. The prime factor is the fodder fed to the cattle, the medicinal grasses that people in ancient times called "magic grasses". As well, the expertise that has been handed down by the producers for the past seven centuries is something that cannot be reproduced.

The period of production for parmesan begins in March and goes through to November. This is a time that requires great care, extreme cleanliness, dark quiet cellars and a constant temperature of 20 degrees Celsius. The cheeses are turned once a month.

By exercising tight production and marketing controls, the Consorzio del Formaggio Parmigiano-Reggiano can guarantee the quality of the cheese and certify the authenticity of the product.

In Emilia-Romagna, parmesan is considered not only a condiment but a basic food. There is an old saying, "La bocca non la se stracca, se non le sa de vacca" — a meal is not a meal if you do not finish it with cheese.

L'Emilia-Romagna è una regione dell'Italia settentrionale prevalentemente pianeggiante. Si estende tra il fiume Po al nord, gli Appennini al sud e il mare Adriatico ad est e comprende la piccola Repubblica di San Marino.

La regione è abbastanza prosperosa, grazie alla fertilità del suolo ed allo spirito d'iniziativa della sua gente. L'economia della regione non si basa solo sull'agricoltura e molte sono le industrie che svolgono un ruolo importante: quale la produzione di mattonelle di ceramica, di automobili di marche prestigiose e di capi di maglieria originali.

Gli abitanti dell'Emilia-Romagna sono maestri nella lavorazione della carne di maiale, basti pensare al prosciutto di Parma, allo zampone di Modena ed alla mortadella di Bologna. Questa arte risale ai tempi degli antichi romani ed è stata affinata con gli anni. I salumi si servono molto spesso con il gnocco fritto (ricetta a pag. 32). Tra i vini qui prodotti il più

*Processing parmesan cheese*     *La lavorazione del formaggio Parmigiano*

famoso è il Lambrusco, vino rosso frizzante.

Un prodotto tipico di questa regione e conosciuto in tutto il mondo è il Parmigiano-Reggiano. Questo è, infatti, il nome del formaggio ed il relativo marchio che viene impresso a fuoco su tutte le forme di grana.

Il parmigiano in realtà deve la sua fama a dei fattori che sono irriproducibili altrove, nonostante i numerosi tentativi della concorrenza. Il primo fattore è senza dubbio l'allevamento del bestiame a base di erba medica, chiamata "erba magica" dagli antichi, unitamente all'esperta lavorazione artigiana immutata da ben sette secoli.

Il periodo di produzione del parmigiano inizia a marzo e si protrae fino a novembre e richiede grandi

cure: pulizia perfetta, luoghi bui e silenziosi mantenuti alla costante temperatura di 20°C. Ogni mese le forme del Parmigiano vanno rivoltate.

Le norme di produzione sono garantite dal Consorzio del Formaggio Parmigiano-Reggiano con rigorosi controlli sia alla produzione che al commercio, incaricandosi anche di porre la marchiatura che certifica l'autenticità del prodotto.

In Emilia-Romagna il Parmigiano è considerato non soltanto un condimento, ma soprattutto un alimento completo. "La bocca non la se stracca, se non la sa de vacca" — dice un antico proverbio padano, per indicare la necessità di completare il pasto con un pezzo di formaggio.

# PORK SAUSAGE WRAPPED IN BEEF
## *Cotechino in Galera*

| INGREDIENTS | INGREDIENTI |
|---|---|
| | |

### INGREDIENTS

*1 pork sausage*
*1 large slice of beef (about 300g)*
*200g prosciutto, sliced*
*1 onion, chopped*
*olive oil for frying*
*½ cup red wine*
*½ cup beef stock*

### INGREDIENTI

*1 cotechino*
*1 larga fetta di manzo di circa 300g*
*200g di prosciutto crudo a fettine*
*1 cipolla tritata*
*olio d'oliva per friggere*
*½ tazza di vino rosso*
*½ tazza di brodo di carne*

### METHOD

Prick the sausage all over with a fork. Place in a saucepan and add sufficient cold water to cover. Bring slowly to the boil. Reduce the heat and cook slowly. When cooked, drain the liquid. When the sausage is cool, peel the skin from it. Cover the beef with the prosciutto, then place the sausage in the centre. Roll up the slice of beef and secure with string. In a frying pan, sauté the onion in a little oil, then brown the beef roll. Add the wine and stock. Cover and simmer for about 60 minutes or until cooked. Turn the roll occasionally and, if necessary, add extra stock while cooking. Remove the string and cut the beef roll into 1cm slices. This is traditionally served hot with mashed potatoes.

*Serves 6*

### METODO

Pungete il cotechino in diversi punti e lessatelo immergendolo in acqua fredda e a fuoco moderato. Quando è cotto, si scola e si toglie la pelle. Ricoprite la fetta di manzo con le fette di prosciutto e sistemate al centro il cotechino già freddo. Avvolgetelo poi nella carne e legatelo con dello spago da cucina. In una padella con un po' di olio rosolate la cipolla ed unite il rotolo facendolo rosolare da tutte le parti. Aggiungete il brodo ed il vino, coprite e lasciate cucinare a fuoco moderato per circa un'ora, girando il rotolo di tanto in tanto, ed aggiungendo ancora brodo se necessario. Togliete lo spago e tagliate il rotolo a fette di 1cm di spessore. Usualmente si serve accompagnato da un purè di patate.

*6 persone*

# SAVOURY PASTA SQUARES
## *Gnocco Fritto*

### INGREDIENTS

*250g plain flour*
*pinch of salt*
*1 tablespoon lard*
*water as required*
*olive oil for frying*

### INGREDIENTI

*250g di farina*
*1 pizzico di sale*
*1 cucchiaio di lardo*
*acqua q.b.*
*olio d'oliva per friggere*

### METHOD

Knead the flour, salt and lard with as much water as is needed to make a dough. With a rolling pin, roll out the dough to a thickness of 5mm. Cut into rectangles or squares about 10cm across. Deep fry in oil, then drain on absorbent paper. Serve hot with mortadella, salami or prosciutto.

*Serves 4-6*

### METODO

Impastate la farina con il sale, il lardo e l'acqua necessaria e lavorate finchè otterrete una pasta liscia, che si tira col mattarello dandole lo spessore di 5mm. Tagliate dei rombi larghi circa 10cm e friggeteli in abbondante olio bollente. Metteteli poi a sgocciolare su della carta assorbente e serviteli ben caldi con mortadella, salame o prosciutto.

*4-6 persone*

# PORK COOKED IN MILK
## *Maiale al Latte*

| INGREDIENTS | INGREDIENTI |
|---|---|
| *1kg pork neck* | *1kg di polpa di maiale (collo o altro)* |
| *¼ cup olive oil* | *¼ di tazza di olio d'oliva* |
| *1 clove garlic, chopped* | *1 spicchio d'aglio tritato* |
| *sprig of rosemary* | *1 rametto di rosmarino* |
| *salt, pepper to taste* | *sale e pepe q.b.* |
| *1 litre warm milk* | *1 litro di latte tiepido* |

### METHOD

Tie the pork with string. In a casserole dish, heat the oil, garlic and rosemary. Add the pork and brown on all sides. Add salt, pepper and the milk. Cover and cook slowly for about 1 hour. When the pork is cooked, the pan juices should be thick. Cut the meat into slices and spoon juices over them. Serve hot.

*Serves 4*

### METODO

Legate la carne con dello spago da cucina. Mettete in una casseruola l'olio, l'aglio e il rosmarino e fate rosolare la carne da tutte le parti. Appena è ben colorita, aggiungete sale, pepe e latte. Coprite e lasciate cucinare a fuoco lento per un'ora circa. Quando il maiale è cotto, si sarà formata una densa salsa. Tagliatelo a fette non troppo sottili e cospargetelo con la salsa. Servite caldo.

*4 persone*

# SPINACH FRITTATA
## *Erbazzone*

## INGREDIENTS

*1kg silverbeet (remove stalks) or English spinach*
*50g butter*
*2 cloves garlic, crushed*
*2 tablespoons dry breadcrumbs*
*100g parmesan cheese, grated*
*2 eggs, beaten*
*1 tablespoon plain flour*
*salt, pepper to taste*
*olive oil for cooking*

## INGREDIENTI

*1kg di spinaci o biete (togliere i gambi)*
*50g di burro*
*2 spicchi d'aglio schiacciati*
*2 cucchiai di pangrattato*
*100g di parmigiano grattugiato*
*2 uova sbattute*
*1 cucchiaio di farina*
*sale e pepe q.b.*
*olio d'oliva per cucinare*

## METHOD

Wash the silverbeet or spinach well and cook (the water left on the leaves is enough for cooking). Allow the spinach to cool, then squeeze out the excess liquid and chop finely. Melt the butter in a saucepan, then add the garlic and spinach. Mix well, then place the spinach mixture in a bowl. Add the breadcrumbs, parmesan, eggs, flour, salt and pepper, and mix. Heat oil in a frying pan and cook the frittata as you would a normal omelette.

*Serves 6*

## METODO

Lavate bene gli spinaci o biete e fateli cuocere con la sola acqua rimasta nelle foglie. Una volta cotti e freddi, strizzateli, tritateli finemente e lasciateli insaporire nel burro fuso in una padella, insieme all'aglio schiacciato. Toglieteli poi dal fuoco e unitevi il pangrattato, il parmigiano, le uova, la farina, il sale ed il pepe. Amalgamate bene il tutto e friggetelo in padella, nella quale avrete scaldato dell'olio di oliva, come fareste con una normale frittata.

*6 persone*

# VIGNOLA CHOCOLATE CAKE
## *Torta di Vignola*

### INGREDIENTS

Vignola is a small town near Modena, famous for its abundant crops of cherries (which are exported throughout Europe) and for this cake.

*300g cooking chocolate
(preferably Plaistowe chocolate)
100g unsalted butter
200g caster sugar
4 tablespoons plain flour
4 eggs yolks, beaten, 4 egg whites
2 tablespoons cream
butter and flour for baking
icing sugar*

### METHOD

Heat the oven to 180°C. In a saucepan, melt the chocolate with the butter over a very low heat without allowing the mixture to boil. When these have melted, remove the pan from the heat and add the sugar. Gradually add the flour, one tablespoon at a time, and stir well after each tablespoon until thoroughly mixed. Add the egg yolks. In a bowl, whisk the egg whites until peaks form, then lightly fold them into the mixture (do not stir). Stir in the cream. Grease a 22cm round cake tin with butter and line the base with greaseproof paper (grease the paper with butter, as well). Lightly flour the base, then shake out the excess. Bake the cake for about 45 minutes (check the centre of the cake with a skewer to ensure that the cake is cooked). Let the cake cool in the baking tin, then remove and dust the top lightly with icing sugar (if the top has cracked, turn the cake upside down).

*Serves 6*

### INGREDIENTI

Vignola è una cittadina in provincia di Modena, rinomata per la produzione delle ciliegie (che vengono esportate in tutta Europa) e per questa torta di cioccolato.

*300g di cioccolato fondente di buona qualità
(Plaistowe)
100g di burro non salato
200g di zucchero
4 cucchiai di farina normale
4 tuorli sbattuti
4 chiare d'uovo montate a neve
2 cucchiai di panna
burro e farina per lo stampo
zucchero a velo*

### METODO

Scaldate il forno a 180°C. Si spezzetta la cioccolata e si mette in un tegame col burro su fuoco molto basso, finchè si scioglie il tutto senza far prendere il bollore. Tolto il recipiente dal fuoco si aggiungono lo zucchero e la farina poco per volta mescolando dopo ogni aggiunta. Si uniscono i rossi d'uovo al composto e le chiare montate a neve, aggiungendole adagio con un movimento dal basso verso l'alto. Per ultimo si mette la panna. Si imburra uno stampo di circa 22cm di diametro e si copre il fondo con carta oleata, unta anche questa di burro e si infarina. Si cuoce in forno per circa 45 minuti. Verificare la cottura con uno stecchino. Quando è fredda sformare la torta su un piatto e cospargerla di zucchero a velo (se la torta in superficie si rompe capovolgetela).

*6 persone*

# FRIULI

*Jôf Fuart Alps of Mt Lussari, Tarvisio (Udine)*
*Le cime Jôf Fuart del Monte Lussari, Tarvisio (Udine)*

Friuli is a mountainous region at the top end of Italy that borders Austria in the north and the former Yugoslavia in the south-east. Udine is the capital of the region.

Friulani are known throughout Italy for their love of polenta (polenta and "birds", polenta and stockfish, polenta and sausages, polenta and cheese, polenta and salami, polenta and milk). When times were tough, polenta formed a major part of the Friulani diet, but today polenta is no longer a symbol of those hard times. Instead, a large piping hot plate of polenta takes pride in the centre of the table on special occasions (see page 38 for recipe). As writer Enrico Fruch says, "Al ven e nus tente, odor di polente" — it comes to tempt us, the aroma of polenta.

At the beginning of the century, every house in Friuli had a fogolar (fireplace) used for cooking and heating. Polenta was cooked in large copper pots over an open fire. Sadly, progress has replaced these with gas and electric stoves, but they can still to be found in the traditional inns where friends gather to meet, talk and drink together.

*Polenta and sausages*
*Polenta e salsicce*

Friuli produces large quantities of wine, and is best known for its reds — Merlot, Cabernet, Pinot Noir. But its whites — Pinot Blanc, Pinot Gris, Tocai, Picolit, to name a few — are also excellent.

Il Friuli è una regione situata tra le montagne dell'Italia settentrionale e confina a nord con l'Austria ed a sud-est con la ex Iugoslavia. Udine è il capoluogo della regione.

I friulani sono conosciuti in tutta Italia per la loro predilezione per la polenta (polenta ed uccelletti, polenta e baccalà, polenta e salsicce, polenta e formaggio, polenta e salami, polenta e latte). Quando i tempi erano duri, la polenta era la base della dieta dei friulani, ma oggi la polenta non è più il simbolo di quei tempi duri. Anzi un largo piatto di polenta fumante prende posto al centro della tavola nelle occasioni speciali (ricetta a pag. 38). Come dice lo scrittore Enrico Fruch: "Al ven e nus tente, odor di polente" come è invitante l'odore della polenta.

All'inizio del secolo ogni casa friulana possedeva un "fogolar" per scaldarsi e per cucinare. La polenta veniva cotta in larghe pentole di rame nel fogolar. Purtroppo il progresso li ha sostituiti con i fornelli a gas o elettrici, tuttavia ancora oggi possiamo trovare i "fogolar" nelle osterie, dove gli amici si ritrovano per parlare o per bere "un litro di chel bon".

Il Friuli produce grandi quantità di vino ed i più conosciuti sono i rossi — Merlot, Cabernet e Pinot Noir — mentre i vini bianchi più famosi sono — Pinot Blanc, Pinot Gris, Tocai e Picolit.

# POLENTA
## *Polenta*

<table>
<tr><td>

### INGREDIENTS

6 cups water
1 tablespoon salt
2 cups polenta
butter (optional)

</td><td>

</td><td>

### INGREDIENTI

6 tazze d'acqua
1 cucchiaio di sale
2 tazze di farina di polenta
burro (se volete)

</td></tr>
</table>

### METHOD

In a saucepan, bring the water to the boil, add the salt and sprinkle in the polenta, stirring constantly. Cook over a low heat for 40 minutes, still stirring constantly. A little butter may be added, if desired. Polenta is cooked when it begins to leave the sides of the pan. Turn the polenta onto a serving dish. It can be eaten hot, cold, sliced and fried in butter, or barbecued.

One of the disadvantages of this method is that, unless you are very experienced, it is easy for lumps to form in the polenta (disaster). A simpler process is to place the polenta in a saucepan with 2 cups of cold water and the salt. Mix thoroughly. Add 4 cups of boiling water and mix. Bring the whole to the boil and stir constantly until cooked (about 30 minutes).

*Serves 4*

### METODO

In una pentola portate l'acqua al bollore, aggiungete il sale e versate la polenta a pioggia mescolando continuamente per evitare che si formino i grumi. Cuocete su fuoco basso per 40 minuti e, se volete, aggiungete un pezzetto di burro. La polenta é cotta quando si stacca dalle pareti della pentola. Versatela quindi su un piatto da portata e servitela. La polenta può essere mangiata calda o fredda, tagliata a fette e fritta nel burro o al B.B.Q.

Per evitare il formarsi dei grumi, c'è un modo più sicuro di cucinare la polenta. Invece di versare la polenta a pioggia, mettete le due tazze di farina direttamente in una pentola con 2 tazze d'acqua fredda ed il sale. Mescolate bene ed aggiungete 4 tazze d'acqua bollente, poi proseguite nella cottura come sopra (circa 30 minuti).

*4 persone*

# VEAL "BIRDS"
## *Uccelletti di Vitello*

## INGREDIENTS

*1kg veal tenderloin fillets*
*skewers*
*200g pancetta or bacon*
*bunch of sage*
*olive oil and butter for frying*
*5 cloves garlic, finely chopped*
*1 bay leaf*
*salt, pepper to taste*
*1 cup dry white wine*

## INGREDIENTI

*1kg di vitello*
*spiedini*
*200g di pancetta*
*1 rametto di salvia*
*olio d'oliva e burro per friggere*
*5 spicchi d'aglio tritati*
*1 foglia d'alloro*
*sale e pepe q.b.*
*1 tazza di vino bianco*

## METHOD

Cut the veal into cubes and place on skewers with a small piece of pancetta or bacon and a sage leaf between each cube. Heat a little oil and butter in a large frying pan and add the garlic and bay leaf. Brown the veal. Sprinkle with salt and pepper. Reduce heat. Cover and cook for 30 or 40 minutes. When cooked, add the wine. Turn up the heat, remove the lid and allow the juices to reduce, turning the birds occasionally. Serve immediately with pan juices, polenta, sautéed carrots, zucchini or broccoli.

*Serves 6*

## METODO

Tagliate il vitello a dadini ed infilateli in uno spiedino con un pezzetto di pancetta o di bacon ed una foglia di salvia tra un pezzo e l'altro. Scaldate dell'olio e del burro in una padella ed aggiungete l'aglio e la foglia d'alloro, rosolatevi gli spiedini, salate e pepate. Ponete il coperchio e cucinateli a fuoco lento per 30 o 40 minuti circa. Quando sono cotti, aggiungete il vino, alzate la fiamma, togliete il coperchio e girate gli uccelletti di tanto in tanto, finchè il sugo sarà ridotto. Serviteli immediatamente con il loro sugo, accompagnati da polenta o da carote, zucchine e broccoli brasati.

*6 persone*

# BEAN & BARLEY CASSEROLE
## *Papazoi*

## INGREDIENTS

*200g dried borlotti beans*
*200g barley*
*2 cloves garlic, finely chopped*
*olive oil for frying*
*3 litres water*
*100g corn kernels*
*pinch of salt*
*300g potatoes, chopped*
*2 tablespoons parsley, chopped*
*freshly ground pepper to taste*

## INGREDIENTI

*200g di fagioli borlotti secchi*
*200g di orzo*
*2 spicchi d'aglio tritato*
*olio d'oliva*
*3 litri d'acqua*
*100g di granoturco in chicchi (mais)*
*1 pizzico di sale*
*300g di patate a pezzetti*
*2 cucchiai di prezzemolo tritato*
*pepe fresco macinato q.b.*

## METHOD

Soak the beans and barley overnight. Drain. In a terracotta pot, slowly fry the garlic in oil until golden. Add the cold water, beans, barley, corn and salt. Cook over a low heat for about 2 hours. Stir occasionally. Add the potatoes and cook for another 45 minutes. Stir occasionally. Add the parsley and pepper. Remove from the heat and serve.

*Serves 6*

## METODO

La sera prima mettete a bagno i fagioli, l'orzo ed il mais. Quando dovete cucinarli scolateli e metteteli da parte. In una pentola, possibilmente di terracotta, fate soffriggere l'aglio con l'olio su fuoco basso, aggiungete l'acqua fredda, i fagioli, l'orzo, il granoturco ed il sale e fate cucinare a fuoco basso per 2 ore circa, rimescolando di tanto in tanto. Aggiungete poi le patate e lasciate cucinare per 45 minuti, ancora rimescolando ogni tanto. Alla fine aggiungete il prezzemolo ed il pepe e servite.

*6 persone*

# FRIULI CARNIVAL FRITTERS
## Fritole di Carnevale

### INGREDIENTS

*30ml dry white wine*
*50g butter*
*400g plain flour*
*1 teaspoon cinnamon*
*pinch of salt*
*zest of ½ lemon, grated*
*5 tablespoons maraschino liqueur*
*1 teaspoon baking powder*
*2 egg yolks, 3 egg whites, beaten*
*olive oil for frying*
*icing sugar*

### INGREDIENTI

*30ml di vino bianco secco*
*50g di burro*
*400g di farina*
*1 cucchiaino di cannella*
*1 pizzico di sale*
*la scorza grattugiata di ½ limone*
*5 cucchiai di Maraschino*
*1 cucchiaino di lievito in polvere*
*2 tuorli d'uovo e 3 albumi montati*
*olio d'oliva per friggere*
*zucchero a velo*

### METHOD

Place the wine and butter in a saucepan. Heat, but do not allow to boil. Remove from the heat and gradually add the flour, mixing with a wooden spoon until well blended. Add the cinnamon, salt, lemon zest, maraschino, baking powder and the egg yolks and egg whites. Mix again (making sure the mixture is not too thick). Leave for 1 hour, then heat oil in a frying pan and drop teaspoons of the mixture into the oil. When golden in colour, remove the fritters and drain on absorbent paper. Sprinkle with icing sugar and serve immediately.

*Makes about 25-30*

### METODO

Mettete il vino e il burro in un tegame e fate scaldare. Togliete il tegame dal fuoco prima che bolla e versate la farina a pioggia mescolando con il cucchiaio di legno, fino ad ottenere un impasto omogeneo. Aggiungete la cannella, il sale, la scorza del limone, il Maraschino, il lievito, i tuorli e gli albumi. Mescolate ancora (accertatevi che l'impasto non sia troppo spesso) e lasciatelo riposare per circa un'ora. Fate scaldare l'olio in una padella ed iniziate a friggere l'impasto a cucchiaiate. Tirate fuori le frittelle quando sono ben dorate e mettetele a sgocciolare su carta assorbente. Cospargetele di zucchero a velo e servitele immediatamente.

*Ne vengono circa 25-30*

# GUBANA FRIULANA
## *Gubana Friulana*

## INGREDIENTS

### FILLING
150g sultanas, 30g candied fruit
3 dried figs, chopped
3 prunes, pitted and chopped
½ cup grappa or substitute, 100g almonds
150g walnuts, 100g hazlenuts
150g pine nuts, 30g cooking chocolate, grated
50g amaretto biscuits, crumbled, 20g butter
½ teaspoon cinnamon, 60g caster sugar
3 or 4 tablespoons rum
### DOUGH
400g plain flour, 15g fresh yeast
¾ cup warm milk, 125g melted butter
pinch of salt, zest of ½ orange and ½ lemon, grated
¾ cup caster sugar, 2 eggs, plus 1 yolk
butter and flour for tray, icing sugar

## INGREDIENTI

### PER IL RIPIENO
150g di uva sultana, 30g di frutta candita
3 fichi secchi a pezzetti
3 prugne snocciolate a pezzetti, ½ tazza di grappa
100g di mandorle, 150g di noci pelate
100g di nocciole, 150g di pinoli
30g di cioccolato grattugiato, 50g di amaretti tritati
20g di burro, ½ cucchiaino di cannella
60g di zucchero, 3 o 4 cucchiai di rum
### PER LA PASTA
400g di farina, 15g di lievito di birra
¾ di tazza di latte tiepido, 125g di burro sciolto
1 pizzico di sale
le scorze grattugiate di ½ arancia e di ½ limone
¾ di tazza di zucchero, 2 uova intere più 1 tuorlo
burro e farina per ungere la teglia, zucchero a velo

## METHOD

Heat the oven to 180°C. Soak the dried fruit in the grappa. Finely chop all the nuts and place them in a mixing bowl. Add the dried fruit (reserve the grappa), pine nuts, chocolate and amaretti. Melt the butter with the cinnamon and add to the fruit and nut mixture. Lastly, add the sugar and moisten the mixture with the rum and the grappa that was used to soak the dried fruit. Stir these ingredients, then put aside. To prepare the dough, make a well in the flour. Dissolve the yeast in the milk and add to the flour, along with the butter, salt, citrus zest, sugar and the 2 eggs. Knead the dough well and leave to rest in a warm corner of the kitchen. When the dough has doubled in size, roll out into a thin sheet large enough to take the filling, as well as a little bit extra. Spread the mixture to within 5cm of the edge. Roll the sheet into a long sausage, then twirl one end inwards to form a snail-like shape. Place in a buttered and floured 24cm round cake tin. Baste with the egg yolk and bake for about 50 minutes. When cooked, dust with icing sugar.

*Serves 8-12*

## METODO

Riscaldate il forno a 180°C. Mettete a bagno l'uvetta in una tazzina di grappa, mentre tritate le noci, le mandorle, le nocciole, che metterete in una ciotola insieme alla frutta secca, l'uvetta senza grappa, i pinoli, il cioccolato e gli amaretti. Sciogliete il burro con la cannella e unitelo al composto di frutta secca. Per ultimo aggiungete lo zucchero e bagnate il composto con la grappa rimasta dall'uvetta e il rum. Amalgamate gli ingredienti e lasciate riposare. Intanto preparate la pasta: mettete la farina a fontana, unite il lievito sciolto nel latte tiepido, il burro sciolto, il sale, le scorze grattugiate dell'arancia e del limone, lo zucchero e le uova. Lavorate bene l'impasto e lasciatelo lievitare coperto in un luogo tiepido. Appena la pasta avrà raddoppiato il suo volume, stendetela col mattarello in una sfoglia sottile, che ricoprirete col ripieno fino a 5cm dai bordi. Arrotolate la pasta su se stessa e poi avvolgete il rotolo ottenuto su se stesso come una chiocciola e mettetelo in uno stampo del diametro di 24cm imburrato e infarinato. Pennellata la Gubana con l'uovo sbattuto e cuocetela nel forno già scaldato per 50 minuti circa. Quando è cotta cospargetela di zucchero a velo.

*8-12 persone*

# LAZIO

Rome

**RECIPES**

Lentils with Pork Sausages

Roman Egg Soup

Fried Zucchini Flowers

Lamb Hunter Style

Rice Croquettes

**RICETTE**

Lenticchie con Salsicce di Maiale

Stracciatella

Fiori di Zucchini Fritti

Agnello o Abbacchio alla Cacciatora

Supplì di Riso al Telefono

Lazio includes Rome, the eternal city, and the Roman provinces. It is bordered by Lake Bolsena in the north, the Tyrrhenian Sea in the west, Abruzzi in the east and Campania in the south.

Italian history starts with the foundation of Rome in April 753BC. The legendary founder of Rome was Romulus, who was tossed into the Tiber River with his twin brother, Remus, and then rescued by a female wolf that saved the boys from starvation by suckling them. In fact, the axis of what was to become Rome was, around 800BC, a steep wooded hilltop populated by a few shepherds who were later joined by other tribes. At first, the tribes fought each other, but eventually their expanding populations came together and formed one tribe. And so Rome began. Today, the birth of Rome (il Natale di Roma) is celebrated each year on 21 April.

The Roman hills (Castelli Romani) produce enormous quantities of dry, sweet or semi-dry wines: Frascati, a semi-dry white, is one of the region's best known wines.

*The magnificent Navona Square in Rome*     *La magnifica Piazza Navona a Roma*

Il Lazio comprende Roma, la città eterna e le province romane. La regione si estende tra: il lago di Bolsena al nord, il mar Tirreno ad ovest, gli Abruzzi ad est e la Campania a sud.

JOANNE MILLER

La storia italiana iniziò con la fondazione di Roma nell'aprile del 753 a.C. Il leggendario fondatore di Roma fu Romolo che venne gettato nel fiume Tevere assieme al fratello gemello Remo e furono salvati da una lupa che li allattò. In realtà nell'800 a.C. il luogo dove poi sorse Roma, altro non era che un'erta collina boscosa abitata da pochi pastori, ai quali in seguito si unirono altre tribù.

*Part of the Colosseum in Rome*
*Parte del Colosseo a Roma*

All'inizio queste tribù lottavano fra di loro, però poi, con l'aumento della popolazione, impararono a capirsi e formarono un'unica tribù, da cui nacque Roma. Ai giorni nostri il "Natale di Roma" si celebra ogni anno il 21 Aprile.

I Castelli Romani ora producono una grande quantità di vino secco, dolce o semi secco, come per esempio il Frascati, vino bianco semi secco, che è uno tra i più conosciuti della regione.

# LENTILS WITH PORK SAUSAGES
## Lenticchie con Salsicce di Maiale

There is a saying, "If you eat lentils on New Year's Day, you will be in the money all year round", so Romans celebrate New Year's Day with this recipe.

I romani celebrano il nuovo anno cucinando questo piatto, perchè la tradizione dice che tutto l'anno sarà poi prosperoso.

### INGREDIENTS

*250g brown lentils*
*2 litres water*
*6 pork sausages*
*1 onion, chopped*
*3 tablespoons olive oil*
*3 ripe tomatoes, peeled and chopped*
*salt, pepper to taste*

### INGREDIENTI

*250g di lenticchie*
*2 litri d'acqua*
*6 salsicce di maiale*
*1 cipolla tritata*
*3 cucchiai di olio d'oliva*
*3 pomodori maturi, pelati e tagliati a pezzi*
*sale e pepe q.b.*

### METHOD

Soak the lentils overnight. Drain, then place them in a saucepan with the cold water. Bring to the boil. Simmer until just cooked. Prick the sausages with a fork and grill until medium done (this removes much of the fat). Drain on absorbent paper. In another saucepan, sauté the onion in the oil until golden. Add the tomatoes, salt and pepper. Simmer for 5 minutes. Drain the lentils and reserve the liquid. Add the lentils to the tomato and onion mixture with a little of the lentil liquid. Simmer for about 5 minutes, then add the sausages. Simmer for another 15 minutes to allow the flavours to blend. Stir occasionally.

*Serves 4-6*

### METODO

Mettete a bagno le lenticchie per una notte. Scolatele e versatele in una pentola con l'acqua fredda, fatele bollire e lasciatele cucinare. Punzecchiate le salsicce con una forchetta e cucinatele al grill (per rimuovere il grasso), lasciatele sgocciolare su della carta assorbente. In un'altra casseruola rosolate la cipolla con un pò d'olio, aggiungete i pomodori, il sale ed il pepe e cucinate per 5 minuti circa. Scolate le lenticchie, conservando l'acqua di cottura ed unitele al pomodoro con un pò della loro acqua. Fate bollire lentamente per ancora 5 minuti ed aggiungete le salsicce. Dopo altri 15 minuti di cottura, mescolando di tanto in tanto, potrete servire.

*4-6 persone*

# ROMAN EGG SOUP
## *Stracciatella*

### INGREDIENTS

1 litre fresh chicken stock
zest of 1 lemon, grated
30g parmesan cheese, grated
pinch of nutmeg
2 eggs, beaten

### INGREDIENTI

1 litro di brodo di gallina
la scorza grattugiata di 1 limone
30g di parmigiano grattugiato
1 pizzico di noce moscata
2 uova sbattute

### METHOD

Bring the stock to the boil, then remove from the heat. Mix in the lemon zest, parmesan and nutmeg. Add the eggs and stir vigorously with a whisk. Stirring constantly, return the broth to the boil for about half a minute. Serve immediately.

*Serves 4*

### METODO

Fate bollire il brodo, toglietelo dal fuoco e aggiungete la scorza del limone, il parmigiano e la noce moscata. Versate le uova sbattute e mescolate energicamente con una frusta. Rimettete il brodo sul fuoco e mescolando continuamente portate a bollore per circa mezzo minuto, quindi servite immediatamente.

*4 persone*

### BÉCHAMEL SAUCE

A béchamel sauce is greatly improved if the milk is first infused with a slice of onion, a bay leaf and a few peppercorns (add these to the milk and, after it has boiled, leave covered for 10 minutes for the flavours to infuse). The consistency of a béchamel sauce varies according to the proportion of flour and butter (less for a thin sauce, more for a thick) to milk. Thin béchamel is used as a base for soups and other sauces, thick béchamel for binding, and medium béchamel for coating. This recipe is for a medium béchamel and makes 250ml of sauce.

*250ml milk, 22g butter, 22g plain flour, pinch of nutmeg, salt and white pepper to taste*

Bring the milk to the boil. Melt the butter in a heavy saucepan. Whisk in the flour and cook until the mixture begins to foam (about 1 minute). Remove from the heat and let the mixture cool slightly. Strain in the hot milk, stirring constantly. Then bring the mixture to the boil, stirring constantly until the sauce thickens. Season with the nutmeg, salt and pepper and simmer for another 2 minutes.

# FRIED ZUCCHINI FLOWERS
## *Fiori di Zucchini Fritti*

## INGREDIENTS

*1 cup plain flour*
*salt, pepper to taste*
*water as required*
*1 anchovy fillet for each flower*
*zucchini flowers (before they have opened)*
*olive oil for frying*

## INGREDIENTI

*1 tazza di farina*
*sale e pepe q.b.*
*acqua q.b.*
*1 filetto di acciughe per ogni fiore*
*fiori di zucchini (usate fiori ancora chiusi)*
*olio d'oliva per friggere*

## METHOD

Gradually mix the flour, salt and pepper with enough water to make a thick batter. Insert an anchovy into each zucchini flower, then dip in the batter. Deep fry the flowers in hot oil until golden. Drain on absorbent paper. Serve immediately.

## METODO

Mescolate farina, sale, pepe e versate l'acqua poco per volta fino ad ottenere una pastella consistente. Mettete un filetto d'acciuga dentro ciascun fiore ed immergetelo nella pastella. Friggete i fiori in abbondante olio bollente fino a che imbiondiscono. Metteteli a sgocciolare su della carta assorbente e serviteli caldi.

---

### SALSA BESCIAMELLA

*L*a salsa besciamella migliora molto se nel latte si mette prima in fusione una fetta di cipolla, una foglia di alloro e alcuni grani di pepe (quando il latte ha bollito coprite il recipiente e lasciate i sapori in fusione per 10 minuti). La densità della salsa dipende dalla proporzione della farina e del burro (meno per una salsa fluida, più per una salsa densa) col latte. La besciamella fluida si usa come base per minestre o altre salse, la besciamella densa per legare e la besciamella di media densità per coprire. Questa ricetta è per una besciamella media e si ottengono 250ml di salsa.

*250ml di latte, 22g di burro, 22g di farina semplice, un pizzico di noce moscata, sale e pepe bianco q.b.*

Portare il latte a bollare in una casseruola. Sciogliere il burro in un'altra pentola col fondo pesante. Versare la farina mescolare energicamente e cuocere sino a che il composto comincia a spumeggiare (circa 1 minuto). Togliere il recipiente dal fuoco e lasciare raffreddare leggermente il composto. Versarvi il latte caldo mescolando continuamente. Portare la salsa al bollore continuando a mescolare fino a che si addensa. Condire con noce moscata, sale e pepe e fare bollire lentamente per altri 2 minuti.

# LAMB HUNTER STYLE
## Agnello o Abbacchio alla Cacciatora

### INGREDIENTS

*1kg lean lamb*
*3 tablespoons olive oil*
*2 cloves garlic, chopped*
*sprig of rosemary*
*salt, pepper to taste*
*1 chilli, finely chopped (optional)*
*2 anchovy fillets, chopped*
*½ cup white wine*
*1 tablespoon vinegar*

### INGREDIENTI

*1kg di polpa magra di agnello*
*3 cucchiai di olio d'oliva*
*2 spicchi d'aglio tritati*
*1 rametto di rosmarino*
*sale e pepe q.b.*
*1 peperoncino piccante a pezzi (se volete)*
*2 filetti di acciughe a pezzetti*
*½ tazza di vino bianco*
*1 cucchiaio di aceto*

### METHOD

Wash and dry the lamb and cut into small cubes. Heat the oil in a frying pan. Brown the lamb, then cover with the garlic, rosemary, salt, pepper, chilli (if desired) and the anchovies. Add the wine and vinegar. Cook over a low heat for about 15 or 20 minutes until the juices have reduced. Stir occasionally. Serve with mashed potatoes and green vegetables.

*Serves 4-6*

### METODO

Lavate ed asciugate l'agnello e tagliatelo a cubetti. Rosolateli in padella con l'olio cospargendoli abbondantemente di sale e di pepe. Aggiungete anche aglio, rosmarino, peperoncino (se volete) e i filetti di acciuga, il tutto tritato, bagnate col vino e con acqua e aceto. Cucinate a fuoco lento per 15 o 20 minuti fino a che il sugo restringe, mescolando ogni tanto. Servite con un contorno di purè di patate e verdure.

*Serves 4-6*

# RICE CROQUETTES
## *Supplì di Riso al Telefono*

This is a popular Roman antipasto. Its name in Italian, supplì di riso al telefono, refers to the long strings of melted cheese.

Questo è un antipasto romano molto noto, così chiamato perchè la mozzarella fila e rassomiglia ai fili del telefono.

### INGREDIENTS

*500g short-grain rice*
*about 2 litres chicken stock (stock cubes can be used)*
*200g parmesan cheese, grated*
*salt, pepper to taste*
*3 eggs, lightly beaten*
*125g mozzarella cheese, diced*
*dry breadcrumbs*
*olive oil for frying*

### INGREDIENTI

*500g di riso corto*
*2 litri circa di brodo di gallina (anche di dado)*
*200g di parmigiano grattugiato*
*sale e pepe q.b.*
*3 uova appena sbattute*
*125g di mozzarella tagliata a dadini*
*pangrattato*
*olio d'oliva per friggere*

### METHOD

Cook the rice in the chicken stock for between 12 and 15 minutes. Drain well and allow to cool and dry. Mix in the parmesan, salt and pepper. Add the eggs, stirring gently but thoroughly. Form the mixture into balls the size of an egg. Make a hole in the centre of each rice ball and insert a cube of mozzarella, then close the rice over it. Roll each ball in breadcrumbs. The balls can be fried at once, but they are easier to handle if refrigerated for 30 minutes. Deep fry the balls in hot oil until golden. Serve immediately.

*Serves 6*

### METODO

Cucinate il riso nel brodo dai 12 ai 15 minuti circa. Scolatelo bene e lasciatelo raffreddare ed asciugare. Mettete il riso in una ciotola e mischiatelo con il formaggio, il sale, il pepe e le uova, mescolando il tutto delicatamente. Con il composto formate delle palline della grossezza di un uovo. Fate un foro al centro di ciascuna pallina, inseritevi un cubetto di mozzarella e coprite col riso. Passate poi le crocchette di riso nel pangrattato e friggetele subito, se volete, o, alternativamente, potete metterle nel frigo per 30 minuti per maneggiarle meglio. Debbono essere fritte in abbondante olio bollente fino a diventare ben dorate. Servitele calde.

*6 persone*

# LIGURIA

*The resort of Portofino
on the eastern Riviera*

*Portofino, la rinomata località di
villeggiatura della Riviera di levante*

Liguria is one of the smallest regions of Italy, but also one of the most beautiful. Sandwiched between the Alps, the Apennines and the Mediterranean Sea, it is a narrow and long strip of land that is often referred to as the Chile of Italy.

. Liguria has a proud history that dates back to Etruscan and Roman times. The capital Genoa, an independent republic state from the thirteenth to the nineteenth century, was one of the great maritime and trading powers of the Mediterranean. Its wars with other city-republics, such as Venice and Pisa, were legendary. It has always been known as La Superba (the proud city). The great navigator Christopher Columbus was born there, and so were the musical genius Niccolo Paganini and patriot and philosopher Giuseppe Mazzini. The hero Giuseppe Garibaldi was born in Nice (which, at the time, was part of Liguria).

One of the best "exports" of Liguria is its aromatic basil, which tastes sweeter than the basil grown in other areas. The olive oil produced in this region is also of the highest quality. And, while fish is an important part of the diet, Ligurians love all sorts of vegetables, in particular carciofi (small, tasty artichokes).

Genoa is the keeper of one of the most beautiful art collections in Europe, housed at Palazzo Rosso and Palazzo Bianco. Both palaces are in via Garibaldi in Genoa, where all the aristocracy used to live. Now closed to traffic, via Garibaldi is a living museum of architecture.

La Liguria è una delle più piccole regioni d'Italia, ma è anche una delle più belle. Stretta tra le Alpi, gli Appennini ed il mar Mediterraneo, consiste in una lunga striscia di terra chiamata spesso "il Cile d'Italia".

La sua storia risale ai tempi degli Etruschi e dei Romani. Genova, il capoluogo, fu una delle più grandi potenze marinare e commerciali del Mediterraneo e tra il 13° ed il 19° secolo fu una repubblica indipendente. Sono rimaste leggendarie le sue battaglie navali contro le repubbliche marinare di Venezia e di Pisa. Genova è stata soprannominata "La Superba" ed ha dato i natali al grande navigatore Cristoforo Colombo, al grande musicista Niccolò Paganini ed al grande patriota e filosofo Giuseppe Mazzini. Il leggendario eroe Giuseppe Garibaldi nacque a Nizza, che a quei tempi faceva parte della Liguria.

Questa regione è rinomata per l'aromatico basilico, che qui cresce molto più dolce che in altri luoghi. La Liguria produce anche olio d'oliva di prima qualità. Il pesce fresco è uno degli elementi base della dieta dei liguri, che amano anche tutte le verdure ed in particolare i piccoli e saporiti carciofi.

A Genova si possono ammirare le più belle collezioni d'arte d'Europa sia a Palazzo Rosso che a Palazzo Bianco, entrambi situati in via Garibaldi, dove un tempo viveva l'aristocrazia. Oggi, chiusa al traffico, via Garibaldi è un museo vivente di tesori architettonici.

# PESTO
## *Pesto*

### INGREDIENTS

*3 bunches basil leaves*
*3 cloves garlic*
*pinch of coarse kitchen salt*
*3 tablespoons parmesan cheese, grated*
*3 tablespoons pecorino cheese, grated*
*½ cup olive oil*
*2 tablespoons pine nuts (optional)*
*salt for water*
*500g pasta*

### METHOD

Remove the basil leaves from each bunch, then wash them thoroughly and leave to dry on a teatowel. Peel the garlic and place in a mortar. (Note: alternatively, you may blend the ingredients in an electric blender.) Add the basil and press without pounding. As the basil begins to blend with the garlic, add the salt, while continuing to mix the ingredients. Add the parmesan and pecorino, and pound to a paste. Add the oil and mix well. Add the pine nuts (if desired). In a large saucepan of salted, boiling water, cook the pasta until al dente. When ready to serve, add a spoonful of warm water to the pesto (the same water in which the pasta was cooked). Serve (adding more oil and parmesan to the pesto, if desired).

*Serves 4*

### INGREDIENTI

*3 mazzi di basilico fresco*
*3 spicchi d'aglio*
*1 pizzico di sale grosso da cucina*
*3 cucchiai di parmigiano grattugiato*
*3 cucchiai di pecorino grattugiato*
*½ tazza di olio d'oliva*
*2 cucchiai di pinoli (a scelta)*
*sale per l'acqua*
*500g di pasta*

### METODO

Staccate dai mazzi le foglie di basilico, lavatele e lasciatele ad asciugare su una salvietta. Pelate l'aglio e mettete gli spicchi interi nel mortaio (alternativamente potete anche usare il frullatore elettrico). Aggiungetevi le foglie di basilico e schiacciatele senza pestare il composto. Quando il basilico comincia a fondersi con l'aglio, continuando a mescolare, aggiungete il sale, il parmigiano ed il pecorino e riducete tutto, sempre nel mortaio e con l'aiuto del pestello, ad una pasta omogenea. Aggiungete alla fine l'olio e mischiate bene. Aggiungete i pinoli, se lo desiderate. Intanto in una pentola d'acqua bollente e salata, cucinate la pasta al dente, scolatela ed al momento di servirla aggiungete al pesto un cucchiaio d'acqua calda (la stessa acqua in cui avete cotta la pasta). Condite, se volete, aggiungendo un pò d'olio e di parmigiano al pesto.

*4 persone*

# WALNUT CREAM
## *Crema di Noci*

### INGREDIENTS

*400g unshelled walnuts*
*handful of fresh breadcrumbs*
*½ cup milk*
*1 clove garlic, chopped*
*salt to taste*
*handful of parmesan cheese, grated*
*about ½ cup olive oil*
*salt for water*
*500g pasta*

### INGREDIENTI

*400g di noci*
*1 pugno di mollica di pane*
*½ tazza di latte*
*1 spicchio d'aglio tritato*
*sale q.b.*
*1 pugno di parmigiano grattugiato*
*circa ½ tazza di olio d'oliva*
*sale per l'acqua*
*500g di pasta*

### METHOD

Crack the walnuts and clean the kernels (to make this easier, begin by immersing the kernels in boiling water for a few minutes). Add the breadcrumbs to the milk and leave to soak. Place the walnuts, garlic and salt in a mortar and pound to a smooth paste. Add the breadcrumbs and milk mixture and the parmesan. Fold. Gradually add enough olive oil to make the mixture smooth and creamy. In a large saucepan of salted, boiling water, cook the pasta until al dente. Before serving the walnut cream, add a spoonful of warm water (the same water in which the pasta was cooked).

*Serves 4*

### METODO

Rompete le noci e pelate i gherigli immergendoli nell'acqua bollente per qualche minuto. Ammorbidite la mollica di pane immergendola nel latte. Mettete in un mortaio le noci, l'aglio ed il sale e pestate fino ad ottenere una pasta. A questa aggiungete la mollica imbevuta nel latte ed il parmigiano. Amalgamate il tutto, aggiungendo poco per volta l'olio d'oliva, fino ad ottenere una crema. Intanto in una pentola d'acqua bollente e salata, fate cucinare la pasta al dente, scolatela ed al momento di servirla, aggiungete alla crema di noci, un cucchiaio d'acqua calda (la stessa acqua in cui avete cucinato la pasta) e servite.

*4 persone*

# SEAMAN'S STOCKFISH
## Stoccafisso alla Marinara

### INGREDIENTS

*650g stockfish (sun-dried cod)*
*4 anchovy fillets, chopped*
*olive oil for cooking*
*2 cloves garlic, finely chopped*
*½ cup white wine*
*1 tablespoon pine nuts*
*freshly ground pepper to taste*
*pinch of nutmeg*
*a couple of cloves*

### INGREDIENTI

*650g di stoccafisso ammollato*
*4 filetti di acciughe tagliate a pezzi*
*olio d'oliva per cucinare*
*2 spicchi d'aglio tritati*
*½ tazza di vino bianco*
*1 cucchiaio di pinoli*
*pepe fresco macinato q.b.*
*1 pizzico di noce moscata*
*un paio di chiodi di garofano*

### METHOD

Soften the stockfish by leaving it in water overnight. In a frying pan, dissolve the anchovies in hot oil. Add the garlic and sauté. Cut the stockfish into pieces and add to the frying pan. Cook for several minutes, then add the wine, pine nuts, pepper and spices. Cook over a moderate flame for about 30 minutes.

*Serves 4*

### METODO

Lasciate lo stoccafisso a bagno per tutta la notte. Mettete le acciughe in una padella con dell'olio caldo, e fatele sciogliere. Aggiungete l'aglio e fatelo soffriggere, poi unite lo stoccafisso tagliato a pezzi e lasciatelo cucinare per alcuni minuti. Unitevi infine il vino, i pinoli, il sale, il pepe e le spezie e lasciatelo cucinare coperto ed a fuoco moderato per 30 minuti circa.

*4 persone*

# GENOESE WHITEBAIT FRITTERS
## *Frittelle di Bianchetti*

### INGREDIENTS

*1 cup plain flour*
*pinch of salt*
*½ cup water*
*2 egg yolks, beaten*
*1 clove garlic, chopped*
*2 tablespoons parsley, finely chopped*
*500g whitebait*
*olive oil for frying*

### INGREDIENTI

*1 tazza di farina*
*1 pizzico di sale*
*½ tazza d'acqua*
*2 tuorli sbattuti*
*1 spicchio d'aglio tritato*
*2 cucchiai di prezzemolo tritato*
*500g di bianchetti*
*olio d'oliva per friggere*

### METHOD

Prepare a batter with the flour, salt, water and egg yolks. Mix carefully, then gradually add the garlic and parsley. Dip the whitebait in the batter and cover thoroughly. Fry in abundant boiling oil. Serve immediately.

*Serves 6*

### METODO

Preparate una pastella con farina, sale, acqua ed i tuorli delle uova. Mescolate lentamente ed aggiungete poco alla volta l'aglio ed il prezzemolo. Immergete poi i bianchetti nella pastella ricoprendoli completamente. Friggeteli in padella in abbondante olio d'oliva bollente e serviteli caldissimi.

*6 persone*

# ARTICHOKE STEW
## *Stufato di Carciofi*

### INGREDIENTS

*4 artichokes*
*olive oil for frying*
*1 onion, finely chopped*
*500g meat of your choice, cut into small pieces*
*2 bay leaves*
*1 clove garlic, chopped*
*½ cup dry white wine*
*4 potatoes, chopped*
*salt to taste*
*1 cup beef stock or warm water*
*sprig of rosemary*

### INGREDIENTI

*4 carciofi*
*olio d'oliva per friggere*
*1 cipolla finemente tagliata*
*500g di carne a scelta vostra, tagliata a cubetti*
*2 foglie d'alloro*
*1 spicchio d'aglio tritato*
*½ tazza di vino bianco*
*4 patate a pezzi*
*sale q.b.*
*1 tazza di brodo di carne o di acqua tiepida*
*1 rametto di rosmarino*

### METHOD

Remove all the outer leaves from the artichokes until the tender leaves appear. Cut 1cm off the top of the artichoke. Cut in 4 vertical pieces and remove the soft hair. Cut again, this time horizontally, to obtain 8 pieces. (During this cleaning process, place the artichokes in a bowl of water to which a little vinegar or lemon juice has been added, to avoid discolouration.) After peeling off the hard skin around it, the stem of the artichoke can also be used. Heat oil in a saucepan and brown the onion until golden. Add the meat, bay leaves and garlic. When the meat has browned, add the wine and allow the juices to reduce. Then add the artichokes, potatoes, salt, stock or water and the rosemary. Cover and allow to cook over a low heat until the artichokes and potatoes are tender.

*Serves 4*

### METODO

Rimuovete le foglie esterne, finchè non appaiono quelle tenere. Tagliate 1cm dalla punta. Tagliateli verticalmente in 4 pezzi, rimuovendone la peluria interna. Tagliateli nuovamente in senso orizzontale, in modo da ottenere 8 pezzi per ciascun carciofo. (Durante la preparazione mettete i carciofi in un contenitore con dell'acqua fredda con un pò d'aceto o con succo di limone per evitare che diventino scuri.) Anche i gambi possono essere utilizzati, dopo aver rimosso la scorza esterna ed averli tagliati a pezzi. Intanto scaldate l'olio in un tegame e rosolate la cipolla. Aggiungete la carne, le foglie d'alloro, l'aglio e rimescolate. Quando la carne sarà rosolata, aggiungete il vino che lascerete evaporare. Infine aggiungete i carciofi, le patate, il sale, il brodo o l'acqua ed il rosmarino. Coprite e lasciate cucinare a fuoco lento finchè i carciofi e le patate saranno cotti.

*4 persone*

# GENOESE VEGETABLE SOUP
## *Minestrone con Pesto*

### INGREDIENTS

150g borlotti beans
150g green beans
1 medium eggplant
¼ cabbage
1 tomato
2 or 3 sticks celery
1 carrot
4 potatoes
250g pumpkin or a few zucchini
3 litres water
salt for water
salt, olive oil to taste
200g pasta
1 heaped tablespoon pesto sauce
(see recipe on page 52)

### INGREDIENTI

150g di fagioli borlotti
150g di fagiolini
1 melanzana di media grandezza
¼ di cavolo
1 pomodoro
2 o 3 coste di sedano
1 carota
4 patate
250g di zucca o alcuni zucchini
3 litri d'acqua
sale per l'acqua
sale e olio d'oliva q.b.
200g di pasta
1 cucchiaio pieno di pesto (ricetta a pag. 52)

### METHOD

Soak the borlotti beans overnight. Drain, then parboil in a small quantity of water. Clean and cut the green beans, eggplant, cabbage, tomato, celery, carrot, potatoes and pumpkin or zucchini into small pieces. In a large pot, bring the salted water to the boil. Add the vegetables and beans and cook slowly. When the vegetables are sufficiently cooked, add the pasta (traditionally, rice or macaroni). When the pasta is nearly cooked, add the pesto and oil and salt to taste. Let the whole cook for a few more minutes, then serve.

*Serves 6*

### METODO

Mettete i fagioli a bagno durante la notte e scolateli al momento di cucinarli. Lasciateli appena scottare in poca acqua. Pulite e tagliate i fagiolini, la melanzana, il cavolo, il pomodoro, il sedano, la carota, le patate e la zucca o gli zucchini in piccoli pezzi. Portate ad ebollizione una pentola d'acqua salata e versatevi dentro le verdure e borlotti, cucinateli lentamente. Quando le verdure saranno sufficientemente cotte, aggiungete la pasta (normalmente riso o maccheroni). Quando la pasta è quasi cotta, unitevi il pesto, l'olio e il sale quanto basta e lasciate cucinare ancora per pochi minuti, poi servite il minestrone.

*6 persone*

# LOMBARDY

*Milan*

*An aerial view of Sforza Castle in Milan*
*Veduta aerea del Castello Sforzesco a Milano*

Lombardy is a region in the north of Italy bounded by the Alps in the north, Lake Maggiore in the west and Lake Garda in the east. Milan is the capital. The superb mountain landscape has changed little over the centuries.

Tracing back through the region's history, we find invasions by the Barbarians, Carlo Magno, Barbarossa and the splendour of the courts of Visconti and Sforza, followed by the Spaniard and Austrian dominations.

Milan is the industrial capital of Italy, the city where you will find Italy's top fashion houses and leading publishing houses. But, even if the Lombardi are always ready to boast about their achievements in the world of industry, science and the arts, they become strangely modest when discussing their style

of cuisine (this is especially true for the Milanese). Traditionally, Lombardy has had a rich and varied cuisine, but, as the Lombardi's industrial development has reached great heights, the standard of cuisine has been lost a little in favour of a "take-away" style of cooking.

However, even from a superficial observation, one can see that Lombardy's cuisine is one of Italy's most opulent, even if only because of the range in style — from the typical mountain cooking of Valtellina to the tastes of Lake Como and the Padana plains (an area rich in dairy products and smallgoods).

La Lombardia è una regione dell'Italia settentrionale, circondata a nord dalle Alpi, ad ovest dal Lago Maggiore, ed a est dal Lago di Garda, Milano è il capoluogo della regione. Lo scenario superbo delle montagne è cambiato ben poco nel corso dei secoli.

Ripercorrendo all'indietro la storia della Lombardia, ritroviamo le invasioni barbariche, Carlo Magno, Barbarossa e lo splendore delle corti dei Visconti e degli Sforza, seguiti dalle dominazioni degli Spagnoli e degli Austriaci.

Milano è la capitale industriale d'Italia, la città dove risiedono le più rinomate case di moda e le più importanti case editrici italiane. Anche se i Lombardi si inorgogliscono quando parlano delle loro conquiste nel campo industriale, scientifico ed artistico, divengono stranamente modesti, quando si parla della loro cucina (specialmente la milanese). Per tradizione la Lombardia ha una cucina ricca e varia, ma come lo sviluppo industriale ha raggiunto punte molto alte, così il livello della cucina di casa si è

*Bellagio on Lake Como and the surrounding mountains*
*Bellagio sul lago di Como e le montagne circostanti*

abbassato in favore di preparazioni sbrigative e
povere.

    Però, anche facendo un'indagine superficiale, si
può notare come la cucina lombarda è una delle
più ricche d'Italia, grazie al fatto che si va dalla
cucina tipica di montagna della Valtellina, a quella
della zona del Lago di Como ed infine alla cucina
della Bassa Padana, quest'ultima ricca di latticini
e di salumi.

*The gothic-style Cathedral of Milan*
*Il Duomo di Milano in stile gotico*

# VEAL ROLLS
## *Messicani*

## INGREDIENTS

12 veal slices (about 600g)
100g prosciutto, sliced
3 chicken livers
salt, pepper to taste
pinch of nutmeg
1 tablespoon parsley, chopped
2 egg yolks, beaten
1 tablespoon parmesan cheese, grated
3 tablespoons dry breadcrumbs
skewers
6 sage leaves
30g butter
1 tablespoon olive oil
½ cup warm chicken stock

## METHOD

Pound the veal with a mallet. Mince the fat from the prosciutto with the chicken livers and, in a bowl, add the salt, pepper, nutmeg, parsley, egg yolks, parmesan and breadcrumbs. Mix well. Spread the mixture onto the veal slices. Roll up the slices and thread 2 onto a skewer with a small piece of prosciutto and a sage leaf between each roll. Repeat 6 times. Melt the butter with the oil in a large saucepan, add the meat, and sauté until lightly browned. Add the stock. Cover and cook slowly for about 15 minutes, basting the rolls frequently with their juices. If necessary, add more stock. When cooked, the veal rolls should be well browned, tender and juicy.

*Serves 6*

## INGREDIENTI

12 fettine di vitello (circa 600g)
100g di prosciutto crudo affettato
3 fegatini di pollo
sale e pepe q.b.
1 pizzico di noce moscata
1 cucchiaio di prezzemolo tritato
2 tuorli sbattuti
1 cucchiaio di parmigiano grattugiato
3 cucchiai di pangrattato
spiedini, 6 foglie di salvia
30g di burro, 1 cucchiaio di olio d'oliva
½ tazza di brodo di pollo tiepido

## METODO

Appiattite leggermente le fettine con un batticarne. Tritate la parte grassa del prosciutto insieme ai fegatini e metteteli in una ciotola. Aggiungete sale, pepe, noce moscata, il prezzemolo, i tuorli, il parmigiano ed il pangrattato e mescolate bene il tutto. Spalmate poi il composto sulle 12 fettine ed arrotolate ciascuna fettina su se stessa, formando degli involtini, che infilerete 2 per volta in uno stecchino, alternandoli con pezzetti di prosciutto e foglie di salvia. Sciogliete quindi il burro e l'olio in un largo tegame e sistematevi gli spiedini facendoli rosolare. Aggiungete poi il brodo, coprite e lasciateli cucinare lentamente per circa 15 minuti bagnandoli di tanto in tanto con il loro sugo, aggiungete altro brodo se occorre. Quando sono cotti, dovranno risultare coloriti, teneri e succosi.

*6 persone*

# MILANESE RISOTTO
## Risotto alla Milanese

### INGREDIENTS

*½ teaspoon saffron*
*1½ litres boiling beef stock*
*1 onion, finely chopped*
*100g butter*
*400g short-grain rice*
*extra pinch of saffron*
*40g parmesan cheese, grated*

### INGREDIENTI

*½ cucchiaino di zafferano*
*1½ litri di brodo di carne bollente*
*1 cipolla finemente tritata*
*100g di burro*
*400g di riso corto*
*ancora un pizzico di zafferano*
*40g di parmigiano grattugiato*

### METHOD

Add the saffron to the stock and bring the stock to the boil. In a saucepan, sauté the onion with half of the butter over a low heat until the onion is transparent (not brown). Add the rice and stir with a wooden spoon over a medium heat until all the grains have been coated with the butter. Add a ladleful of boiling stock and stir continually until the rice is nearly dry. Continue to add the stock, a ladleful at a time, until the rice is cooked. Just before the rice is cooked, sprinkle a pinch of saffron over the rice and stir. Remove from the heat. Stir in the remaining butter and the parmesan, and serve.

*Serves 4*

### METODO

Aggiungete lo zafferano al brodo e portatelo all'ebollizione. Ponete in una casseruola metà del burro e fatevi rosolare la cipolla badando bene che non colorisca. Versate il riso e mescolatelo con un cucchiaio di legno finchè si impregni di burro, poi iniziate a bagnarlo con il brodo bollente, aggiungendo un mestolo ogni qualvolta il riso asciuga. Continuate così a fuoco vivace finchè il riso sarà cotto, sempre mescolando. Qualche minuto prima che la cottura sia ultimata, aggiungete un pizzico di zafferano sul riso e mescolate. Poi toglietelo dal fuoco, aggiungetevi il rimanente burro ed il parmigiano e servitelo.

*4 persone*

# PUMPKIN TORTELLI
## *Tortelli di Zucca*

## INGREDIENTS

### FILLING
Prepare the filling the day before.

*1kg cooked pumpkin, mashed*
*80g amaretto biscuits, crumbled*
*100g parmesan cheese, grated*
*pinch of nutmeg*
*salt, pepper to taste*
*juice of ½ lemon*
### DOUGH
*6 sage leaves, 100g melted butter*
*400g plain flour*
*4 eggs, beaten*
*pinch of salt, salt for water*
*handful of parmesan cheese, grated*

## INGREDIENTI

### PER IL RIPIENO
Il ripieno sarà più gustoso se preparato il giorno prima.

*1kg di purè di zucca*
*80g di biscotti amaretti macinati*
*100g di parmigiano grattugiato*
*1 pizzico di noce moscata*
*sale e pepe q.b., il succo di ½ limone*
### PER LA PASTA
*6 foglie di salvia*
*100g di burro sciolto*
*400g di farina, 4 uova sbattute*
*1 pizzico di sale*
*sale per l'acqua*
*1 manciata di parmigiano grattugiato*

## METHOD

Place the pumpkin in a bowl. Add the amaretti, parmesan, nutmeg, salt, pepper and lemon juice. Mix all the ingredients very well and refrigerate overnight. Add the sage leaves to the butter and let stand. Combine the flour, eggs and salt and knead well until the mixture is smooth and firm. With a rolling pin, roll out the dough into a sheet about 2mm thick, then cut the dough into thin strips 10cm wide. In the centre of each strip, place 1 teaspoon of the filling every 6cm. Fold the dough in half and seal the pastry around the filling, pressing firmly with your fingers. With a serrated pastry cutter, cut in a rectangular shape around the mounds of filling. Drop these tortelli into a large saucepan of salted, boiling water and reduce the heat (to prevent the tortelli from breaking). When cooked (about 2 or 3 minutes), drain the tortelli and place in a serving dish. Remove the sage from the butter and pour the butter over the tortelli. Sprinkle with the parmesan and serve.

*Serves 6-8*

## METODO

Mettete in una ciotola il purè di zucca, gli amaretti, il parmigiano, la noce moscata, il sale, il pepe e il succo del limone. Mischiate bene tutti gli ingredienti e mettete in frigo per una notte. Mettete le foglie di salvia nel burro e lasciatele dentro. Con la farina, le uova ed il sale, preparate una pasta soda e liscia, che stenderete con il mattarello in una sfoglia piuttosto sottile facendo poi delle strisce 10cm larghe. Ponete al centro di queste strisce dei mucchietti di ripieno a distanza di 6cm l'uno dall'altro e rivoltate su questi il lembo di pasta libero, sigillate attorno al ripieno facendo pressione con le dita. Usando la rotella dentata ritagliate i tortelli a forma rettangolare. Tuffate i tortelli in una pentola d'acqua bollente e salata badando che non bollano troppo forte altrimenti si rompono. Quando saranno cotti, dopo 2 o 3 minuti, scolateli con il mestolo forato e poneteli in una zuppiera. Togliete quindi la salvia dal burro sciolto, che verserete sui tortelli. Prima di servirli, conditeli con il parmigiano.

*6-8 persone*

# CHOCOLATE SAUCE FOR PANETTONE
## *Salsa al Cioccolato per il Panettone*

Panettone is Italy's traditional Christmas cake. It originated in Milan, but is now famous and appreciated all over the world. The story of the panettone is a tender and romantic one and tells of a young boy who lived in Milan in 1494 and worked as a baker's apprentice. The name of the baker was Toni di Borgo delle Grazie and the apprentice was called Ughetto delle Tele. Ughetto was in love with the baker's daughter and, to impress her with his love, he created a new type of bread by adding sultanas to bread dough and dedicated it to her. With that bread, he not only won the baker's daughter, but was held in high esteem by her father (his future father-in-law). It was Christmas time when they first began to sell this pan de Toni (Tony's bread). Business flourished and panettone soon became the most popular Christmas cake in Milan.

### INGREDIENTS

*500ml milk*
*1 teaspoon vanilla essence*
*6 egg yolks*
*150g caster sugar*
*pinch of salt*
*25g plain flour*
*75g dark chocolate, grated*
*2 tablespoons brandy*

### METHOD

Boil the milk, then remove it from the heat. Add the vanilla essence. In a bowl, beat the egg yolks with the sugar and salt until smooth. Sift the flour, then gradually add it to the eggs, being careful to prevent lumps from forming. Add the milk, beating continually. Bring this to the boil, then remove from the heat. Add the chocolate and stir until it has melted. Flavour this custard with the brandy and allow to cool. Serve with panettone cut into long slices.

*Serves 6-8*

Il panettone, dolce tradizionale natalizio, ebbe origine a Milano, ma oggi è conosciuto ed apprezzato in tutto il mondo. La storia del panettone, romantica e tenera, racconta che nel 1494 un bravo giovane di nome Ughetto delle Tele lavorava come apprendista fornaio a Milano presso il fornaio Toni di Borgo delle Grazie. Ughetto si era innamorato della figlia del fornaio e per conquistarla creò un nuovo tipo di pane con l'uvetta sultanina e fece un dolce, che dedicò proprio a lei. Con questo "pan" Ughetto conquistò non solo la figlia del fornaio, ma anche il futuro suocero, che rilanciò il suo negozio proprio a Natale, mettendo in vendita il "pan de Toni", che poi divenne il più popolare dolce di Natale a Milano.

### INGREDIENTI

*500ml di latte*
*1 cucchiaino di essenza di vaniglia*
*6 tuorli d'uovo*
*150g di zucchero*
*1 pizzico di sale*
*25g di farina*
*75g di cioccolato grattugiato*
*2 cucchiai di brandy*

### METODO

In un tegame fate bollire il latte, poi toglietelo dal fuoco e aggiungetevi la vaniglia. In una ciotola, intanto, battete i tuorli delle uova con lo zucchero ed il sale, fino ad ottenere un composto liscio e morbido. Setacciate la farina ed aggiungetela al composto poco alla volta mescolando energicamente per evitare grumi ed unite poi il latte mescolando con una frusta. Ponete il recipiente sul fuoco, sempre mescolando, e non appena la crema bolle, toglietela dal fuoco, unite subito il cioccolato e mescolate fino a che è sciolto. Aromatizzate la salsa con il brandy e lasciatela raffreddare. Tagliate il panettone a fette e servitelo con la salsa.

*6-8 persone*

# MARCHE

Ancona

Because of Marche's position in the middle of the Italian peninsula, it is comparable to a balcony — look out to the Adriatic Sea from the heights of the Apennines.

The name Marche is a germanic word that means borderland. Marche borders Tuscany in the west, Lazio and Abruzzi in the south, Emilia-Romagna and the republic of San Marino in the north, and the Adriatic Sea in the east. It is a region of magnificent landscapes where mountains and hills slope steeply towards the Adriatic Sea.

Marche is divided into four provinces: Ancona, the capital and the most active port of the region; Macerata, built on a hill and important for its university; Pesaro-Urbino, two beautiful cities (Pesaro on the sea and Urbino, birthplace of the great Raphael, built on a hill); and Ascoli Piceno, rich in the most beautiful monuments and art collections of the great Italian artists.

The production of paper in Fabriano and Ancona's shipyard are the most important industries. Fishing is one of the main resources of the region, as well as the cultivation of vegetables, grains and olives.

La regione Marche, grazie alla sua posizione geografica nell'Italia centrale, si può paragonare ad un balcone che dall'Appennino scende verso il Mar Adriatico.

Il suo nome "Marche" è di origine tedesca e significa "terra di confine". Questa regione confina a nord con la Repubblica di San Marino e con l'Emilia-Romagna, ad ovest con la Toscana, a sud con il Lazio e l'Abruzzi ed ad est con il Mare Adriatico. Nelle Marche esistono paesaggi stupendi, dove monti e colline degradano verso il Mare Adriatico.

Le sue province sono 4: Ancona, capoluogo e porto attivo; Macerata, che sorge su un colle ed è sede dell'università; Pesaro-Urbino, due bellissime città (Pesaro sul mare ed Urbino, patria del grande Raffaello, sopra un colle); Ascoli Piceno, ricca di monumenti ed opere d'arte di grandi artisti italiani.

Le industrie più importanti di questa regione sono quella della carta a Fabriano e quella delle costruzioni navali ad Ancona. Importante è anche la pesca ed, essendo la regione ricca di prodotti agricoli, come verdure, grano ed olive, la sua cucina è ricca di cibi prelibati.

*The well known summer resort of Numana (Ancona)*
*La rinomata località di villeggiatura di Numana (Ancona)*

# LASAGNE
## *Vincisgrassi*

## INGREDIENTS

### DOUGH
(alternatively, use readymade lasagne sheets)
350g plain flour
30g melted butter
1 cup dry marsala
3 eggs, beaten
plain flour

### FILLING
100g butter
1 carrot, chopped
1 stick celery, chopped
½ onion, chopped
100g chicken breast, minced
50g veal loin, minced
50g prosciutto, minced
1 cup dry marsala
30g tomato purée
100g béchamel sauce (see recipe on page 46)
1 cup chicken stock
salt, pepper to taste
150g chicken livers, minced
100g lamb sweetbread, boiled and minced
(order from the butcher about one week in advance)
50g beef marrow, boiled and minced
150g mushrooms, sliced
250ml cream
butter for tray
1 cup parmesan cheese, grated

## METHOD

To prepare the sheets of lasagne, mix the flour, butter, marsala and eggs. Knead the dough, then divide into 3 or 4 parts. Roll these out with a rolling pin until about 2mm thick. Cut each sheet into rectangles of about 15cm by 10cm. Sprinkle these with flour and leave to dry on a teatowel. When dry, boil them until half cooked (a few minutes). Drain (take care not to tear them), then wash them under cold running water. Put them back on the teatowel to dry. To prepare the filling, heat the butter in a large frying pan and add the carrot, celery and onion. Cook for a few minutes, then lightly fry the chicken breast, veal and prosciutto. Add the marsala. Simmer until the liquid has reduced. Mix in the tomato purée and two-thirds of the béchamel sauce (thinned with the stock). Season with salt and pepper. Add the liver, sweetbread, marrow and mushrooms. Leave to cook for 10 minutes over a low heat, stirring occasionally. Pour in the cream, check the salt and pepper and cook for another 10 minutes. Fill a buttered baking dish with alternate layers of lasagne and filling, enriching the flavour with the parmesan. End with a layer of filling. Leave overnight. Heat the oven to 220ºC, then pour the rest of the béchamel over the top of the lasagne and bake for 35 or 40 minutes. Serve immediately.

*Serves 6*

# LASAGNE
## *Vincisgrassi*

### INGREDIENTI

PER LA PASTA
(potete anche usare un pacchetto di
lasagne già preparate)
*350g di farina*
*30g di burro sciolto*
*1 tazza di marsala secco*
*3 uova sbattute*
*farina*

PER IL RIPIENO
*100g di burro*
*1 carota tritata*
*1 costa di sedano tritata*
*½ cipolla tritata*
*100g di petti di pollo macinati*
*50g di lombo di vitello macinato*
*50g di prosciutto macinato*
*1 tazza di marsala secco*
*30g di salsa di pomodoro*
*100g di besciamella (ricetta a pag. 47)*
*1 tazza di brodo di gallina*
*sale e pepe q.b.*
*150g di fegatini di pollo macinati*
*100g di animelle di agnello lessate*
*(si ordinano no al macellaio con una
settimana di anticipo)*
*50g di filone di manzo lessato*
*150g di funghi affettati*
*250g di panna*
*burro per ungere la teglia*
*1 tazza di parmigiano grattugiato*

### METODO

Per preparare la pasta, mischiate la farina, il burro, il marsala e le uova. Lavorate la pasta e dividetela in 3 o 4 parti. Stendetele con il mattarello in una sfoglia di 2mm di spessore, ritagliatela in rettangoli di 15cm per 10cm, cospargereteli di farina e lasciateli asciugare su tovaglioli da cucina. Appena le lasagne saranno secche, lessatele in acqua bollente salata e scolatele a metà cottura (badando a non romperle), passandole subito sotto l'acqua corrente. Mettetele sui tovaglioli ad asciugare. Intanto in un tegame sciogliete il burro, aggiungete la carota, il sedano e la cipolla, e lasciate cucinare per qualche minuto, poi unite il petto di pollo, il lombo di vitello ed il prosciutto e fate soffriggere il tutto. Aggiungete il marsala e cucinate fino a che evapora. Mescolate a questo punto la salsa di pomodoro e ⅔ di besciamella (diluita con il brodo), insaporite con il sale ed il pepe. Unite i fegatini, le animelle, il filone di manzo ed i funghi e lasciate cucinare per altri 10 minuti a fuoco lento, mescolando di tanto in tanto. Unite la panna, aggiustate il gusto con sale e pepe e cucinate per 10 minuti ancora. In una teglia da forno già unta di burro, sistemate a strati alternati le lasagne ed il ripieno, arricchendone il gusto con abbondante parmigiano grattugiato. Terminate con uno strato di ripieno. Lasciate riposare la preparazione per una notte e quando siete pronti per cucinarla, accendete il forno a 220°C. Versate sopra le lasagne il resto della basciamella, cuocetele in forno dai 35 ai 40 minuti circa. Servirle immediatamente.

*6 persone*

# STUFFED OLIVES
## *Olive Ripiene*

The prelude to a Marche-flavoured lunch is a glass of cold verdicchio wine and these olives.

### INGREDIENTS

*oil and butter for frying*
*75g veal, 75g pork*
*100g chicken breast*
*¼ cup dry marsala*
*½ tablespoon pecorino cheese, grated*
*75g minced salami and prosciutto*
*½ teaspoon tomato purée*
*a little black truffle, grated (if available)*
*2 egg yolks, beaten*
*salt, pepper to taste*
*30 large green olives, pitted*
*(you can buy a pitter from a kitchenware shop)*
*plain flour, 1 egg white, beaten*
*dry breadcrumbs*

### METHOD

Heat oil and butter in a large frying pan and fry the veal, pork and chicken. Add the marsala and cook the meat until the liquid has evaporated. Mince the whole meat with the pecorino, the combined salami and prosciutto, tomato purée, truffle, egg yolks, salt and pepper, and mix evenly. Stuff the olives with this mixture, then roll them in flour, the egg white and breadcrumbs. Fry in boiling oil and serve very hot.

*Serves 6*

---

Il preludio di un buon pranzo marchigiano è costituito dalle olive ripiene ed un buon bicchiere di "Verdicchio".

### INGREDIENTI

*olio e burro per friggere*
*75g di vitello , 75g di maiale*
*100g di petti di pollo*
*¼ di tazza di marsala secco*
*½ cucchiaio di pecorino grattugiato*
*75g di salame e prosciutto crudo tritati*
*½ cucchiaino di salsa di pomodoro*
*un pò di tartufo nero grattugiato*
*sale e pepe q.b.*
*2 tuorli d'uovo sbattuti*
*30 grosse olive verdi snocciolate*
*(potete comprare l'apposito utensile per snocciolare)*
*farina, 1 albume sbattuto*
*pangrattato*

### METODO

In una padella friggete con olio e burro il vitello, il maiale ed il pollo. Aggiungete il marsala e fate cucinare finchè non evapora. Tritate la carne aggiungendovi un cucchiaio di pecorino grattugiato, poi unitevi il salame, il prosciutto, la salsa, il tartufo, il sale ed il pepe e mischiate il tutto con i tuorli. Riempite le olive con il composto, passatele nella farina, nel bianco d'uovo sbattuto e nel pangrattato e per finire friggetele in olio bollente. Servitele calde.

*6 persone*

# FISH SOUP OF THE COAST
## *Brodetto di Pesce della Costa*

### INGREDIENTS

*3kg of mixed seafood (cod, bream, bass, 1 cuttlefish,*
*about 10 mussels, some small prawns)*
*1½ litres of water*
*1 carrot, chopped*
*1 stick celery, chopped*
*1 onion studded with 2 cloves*
*sprig of parsley, chopped*
*salt, peppercorns to taste*
*olive oil for frying*
*1 clove garlic, finely chopped*
*1 onion, finely chopped*
*1 celery heart, finely chopped*
*50g tomato purée*

### INGREDIENTI

*3kg di pesce (merluzzo, orata, spigola,*
*1 seppia, circa 10 cozze e gamberetti)*
*1½ litri d'acqua*
*1 carota tagliata a pezzetti*
*1 costa di sedano tagliata a pezzetti*
*1 cipolla con infilati 2 chiodi di garofano*
*1 ciuffo di prezzemolo tritato*
*sale e pepe in grani q.b.*
*olio d'oliva per friggere*
*1 spicchio d'aglio tritato*
*1 cipolla tritata*
*1 cuore di sedano affettato*
*50g di salsa di pomodoro*

### METHOD

Wash the fish and slice into pieces. Put their heads and tails in a pot with the water, carrot, celery, the onion studded with cloves, parsley, salt and peppercorns. Bring to the boil, then simmer for 15 or 20 minutes. Strain. Keep the broth. Heat some oil in a wide frying pan. Lightly fry the garlic, the second onion and the celery heart. When fried, add the tomato purée thinned with a little of the fish broth. Cook over a low heat for 30 minutes. Cut the cuttlefish into pieces and add to the sauce. After five minutes or so, add the remaining fish. Pour in the broth. Check salt and pepper. Simmer for 15 minutes, then serve at once.

*Serves 6*

### METODO

Pulite i pesci e tagliateli a pezzi. In un tegame con l'acqua mettete a bollire le teste, le code, la carota, il sedano, la cipolla con i chiodi di garofano, il prezzemolo, il sale ed il pepe in grani. Portate al bollore e cucinate per 15 o 20 minuti circa. Buttate via gli ingredienti solidi del brodo e lasciate da parte il liquido. In un tegame con l'olio, fate rosolare l'aglio, la cipolla tritata ed il cuore di sedano. Poi aggiungete la salsa sciolta in un pò di brodo di pesce, coprite e lasciate cucinare a fuoco lento per 30 minuti circa. Tagliate le seppie a pezzi ed unitele alla salsa. Dopo pochi minuti aggiungetevi il pesce rimasto e il brodo cuocendo per 15 minuti ancora, aggiustate il gusto con sale e pepe e servite ben caldo.

*6 persone*

# ROSSINI STEAK
## *Medaglioni alla Rossini*

### INGREDIENTS

*8 fillet steaks, 3cm thick*
*35g butter and 3 tablespoons olive oil*
*1 tablespoon plain flour*
*salt, pepper to taste*
*1 cup dry marsala*
*8 slices prosciutto*
*8 slices gruyère cheese*
*8 tablespoons thick béchamel sauce*
*(see recipe on page 46)*
*bread croutons fried in butter*

### METHOD

Heat the oven to 180ºC. In a large frying pan, cook the steaks lightly in the butter and oil. When both sides take colour, sprinkle them with the flour, salt and pepper. Add the marsala. Let the meat absorb all the liquid, then place the steaks in a flame-proof dish. Place a slice of prosciutto, gruyère and a tablespoon of béchamel on each steak. Cook in the oven until the cheese melts. Serve the steaks on the bread croutons heated in butter.

*Serves 8*

### INGREDIENTI

*8 fette di filetto di manzo spesse 3cm*
*35g di burro e 3 cucchiai di olio d'oliva*
*1 cucchiaio di farina*
*sale e pepe q.b.*
*1 tazza di marsala secco*
*8 fette di prosciutto crudo*
*8 fette di gruviera*
*8 cucchiai di besciamella densa (ricetta a pag. 47)*
*crostoni di pane dorati nel burro*

### METODO

Riscaldate il forno a 180ºC. In una larga padella con olio e burro fate rosolare le fette di carne da ambo i lati e poi spolverizzatele con farina, sale e pepe. Aggiungete il marsala e quando la carne avrà assorbito tutto il liquido, passate le fette in una pirofila. Ponete su ogni fetta di carne una fetta di prosciutto, una di gruviera ed un cucchiaio di besciamella. Mettete la pirofila in forno quel tanto che basti perchè si sciolga il formaggio, poi mettete ogni medaglione su un crostone e servite.

*8 persone*

# MILK PUDDING
## *Bostrengo*

### INGREDIENTS

*500g short-grain rice*
*100g bitter chocolate, grated*
*1 tablespoon pine nuts*
*zest of ½ lemon or orange, grated*
*250ml milk*
*½ cup rum*
*½ cup maraschino liqueur*
*3 egg yolks, beaten*
*pinch of cinnamon*
*pinch of salt*
*butter for mould*
*icing sugar*

### INGREDIENTI

*500g di riso corto*
*100g di cioccolato amaro grattugiato*
*1 cucchiaio di pinoli*
*la scorza grattugiata di ½ limone o di ½ arancia*
*250ml di latte*
*½ tazza di rum*
*½ tazza di liquore Maraschino*
*3 tuorli sbattuti*
*1 pizzico di cannella*
*1 pizzico di sale*
*burro per ungere lo stampo*
*zucchero a velo*

### METHOD

Heat the oven to 180°C. Boil the rice until it is half-cooked, then drain. Mix in the chocolate, pine nuts, citrus zest, milk, rum and maraschino. Add the egg yolks, cinnamon and salt, and mix well. Place the rice mixture in a well-buttered mould and bake for 40 or 50 minutes. Finish by sprinkling icing sugar over the top of the rice pudding.

*Serves 8*

### METODO

Scaldate il forno a 180°C. Lessate il riso ed a metà cottura scolatelo, poi mischiatelo con il cioccolato, i pinoli, la scorza d'arancia o di limone, il latte, il rum ed il Maraschino. Unitevi i tuorli, la cannella ed il sale. Versate il composto di riso in una tortiera ben imburrata e cucinate in forno per 40 o 50 minuti. Coprite con zucchero a velo.

*8 persone*

# PIEDMONT

Novara

Vercelli

Turin

Asti    Alessandria

Cuneo

*The castle and vineyards of Barolo (Cuneo)*
*Il castello e i vigneti di Barolo (Cuneo)*

Piedmont is the largest region in Italy, second only to Sicily. It borders France, Switzerland and the Italian regions of Valle d'Aosta, Liguria, Lombardy and Emilia-Romagna. Geographically, the region is made up of mountains and plains.

Because of Piedmont's relative closeness to the sea and to other countries, important commercial routes have developed over the centuries. This has been helpful in the current state of economic movement.

The capital of Piedmont is Turin, situated on the left bank of the Po River. Turin is also the capital of the Italian automobile industry and of the Vermouth industry. Other important cities in Piedmont are Alessandria, Asti, Cuneo, Novara and Vercelli. These cities boast many beautiful monuments and churches with important works of art.

Turin was originally a Roman municipality called Augusta Taurinorum. It became the Kingdom of Sardinia's capital in 1713 and played a vital role in one of the most tempestuous periods of Italian history, "Il Risorgimento", which led to the unification of the Kingdom of Italy in 1861 (Turin was its capital until 1865).

Italy's longest river, the Po, begins in Piedmont from Mt Monviso and, along with the region's many other rivers and lakes, the Po has promoted a rich agricultural industry. Piedmont is also the home of true gorgonzola cheese and white truffles. The cuisine of this region is largely dominated by the large quantities of rice grown in the Novara and Vercelli areas (the largest rice market in Italy).

The most prestigious wines of the region are the reds, Barolo and Barbaresco (both D.O.C.G.), and the very popular Asti Spumante, a sparkling white wine produced in Asti.

geografica varia, poichè possiede sia montagne che pianure.

La sua relativa vicinanza al mare e ad altre nazioni ha favorito nei secoli lo sviluppo di importanti vie commerciali, che hanno contribuito allo sviluppo economico attuale.

Torino è il capoluogo del Piemonte, situata sulla riva sinistra del fiume Po. È anche la capitale dell'industria automobilistica italiana e dell'industria del Vermouth. Altre città importanti sono: Alessandria, Asti, Cuneo, Novara e Vercelli. Queste città sono ricche di bei monumenti e chiese, dove si conservano capolavori d'arte.

Torino originariamente era una municipalità romana, chiamata "Augusta Taurinorum". Nel 1873 divenne la capitale del Regno di Sardegna e svolse un ruolo importante nel tempestoso periodo della storia italiana "Il Risorgimento", che portò all'unificazione dell'Italia nel 1861 (Torino fu la capitale d'Italia fino al 1865).

Il fiume più lungo d'Italia, il Po, nasce dal Monviso in Piemonte. Il Po e tutti gli altri fiumi e laghi della regione hanno favorito lo sviluppo dell'agricoltura. Il Piemonte è la patria del vero "Gorgonzola" e dei "tartufi bianchi". La cucina di questa regione è largamente dominata dal riso che cresce abbondantemente nelle zone di Novara e di Vercelli, zone da cui proviene il maggior mercato italiano di riso.

I vini più rinomati del Piemonte sono il Barolo ed il Barbaresco (entrambi D.O.C.G.) e il popolarissimo spumante d'Asti, un vino bianco frizzante, prodotto appunto ad Asti.

Il Piemonte è la più estesa regione d'Italia, dopo la Sicilia. Confina con la Francia, la Svizzera e le regioni italiane: Val d'Aosta, Liguria, Lombardia ed Emilia-Romagna. La sua configurazione

# CHESTNUT SOUFFLÉ
## *Sufflè di Castagne*

| INGREDIENTS | INGREDIENTI |
|---|---|
| *300g unshelled chestnuts* | *300g di castagne* |
| *milk as required* | *latte q.b.* |
| *75g melted butter* | *75g di burro sciolto* |
| *5 tablespoons maraschino liqueur* | *5 cucchiai di liquore Maraschino* |
| *2 tablespoons vanilla essence* | *2 cucchiai di essenza di vaniglia* |
| *6 egg yolks, 6 egg whites* | *6 tuorli e 6 albumi* |
| *300g caster sugar* | *300g di zucchero* |
| *butter for mould* | *burro per ungere lo stampo* |
| *whipped cream* | *panna montata* |

## METHOD

Heat the oven to 175°C. Heat the chestnuts in water to make it easier to remove the outer shell and inner skin. Cook the cleaned chestnuts in sufficient milk to cover them. Simmer gently until the milk practically evaporates (about 15 minutes), then rub them through a sieve. Mix in the butter, maraschino, vanilla essence and beaten egg yolks. Beat the egg whites, gradually adding the sugar, until they are stiff. Fold the egg whites into the chestnut mixture. Pour the mixture into a greased ring-shaped mould and bake for 1 hour. When cooked, decorate the soufflé with whipped cream and serve immediately.

*Serves 6*

## METODO

Scaldate il forno a 175°C. Bollite le castagne nell'acqua in modo da poter togliere la buccia esterna e la pellicola interna e poi cucinatele coprendole di latte. Fate bollire lentamente finchè il latte evapora (circa 15 minuti) passatele al setaccio. Unitevi il burro, il Maraschino, la vaniglia ed i tuorli battuti. Intanto battete a neve le chiare d'uovo, aggiungendo gradualmente lo zucchero ed appena sarà pronto, versatelo poco alla volta sul composto di castagne. Ungete di burro uno stampo col foro centrale e versatevi il composto che farete cucinare per circa un'ora. Decorate il sufflè con la panna montata.

*6 persone*

# GARLIC & ANCHOVY SAUCE
## *Bagna Cauda*

This sauce is one of the specialties of Piedmont. Traditionally, it is served at the table over a spirit lamp in the saucepan in which it has been cooked. Pieces of raw vegetables, such as artichokes and celery, are dipped into the sauce. In Piedmont, truffles are added to the sauce when they are in season.

### INGREDIENTS

*200g butter*
*4 cloves garlic, finely chopped*
*8 anchovy fillets, pounded*

### METHOD

Melt the butter in an earthenware saucepan and very slightly brown the garlic. Add the anchovies and mix well. Serve very hot with a selection of fresh, raw vegetables.

*Serves 4-6*

Questa salsa è una specialità della cucina piemontese. Tradizionalmente la "Bagna Cauda" è servita nello stesso recipiente in cui viene cucinata ed è portata in tavola su un fornello a spirito. Pezzi di verdure crude come carciofi e sedano, si intingono in essa. In Piemonte, durante la stagione dei tartufi, alla salsa si aggiunge anche un pezzetto di tartufo.

### INGREDIENTI

*200g di burro*
*4 spicchi d'aglio tritato*
*8 filetti di acciughe*

### METODO

Sciogliete il burro in un pentolino di terracotta e lasciate imbiondire l'aglio. Aggiungete le acciughe, pressate e mescolate bene. Servite ben calda con pezzi di verdure crude.

*4-6 persone*

# FRIED PIEDMONT RABBIT

## Coniglio Fritto alla Piemontese

### INGREDIENTS

*1 large rabbit (about 1½kg)*
*⅔ cup plain flour*
*2 eggs, beaten*
*2 cups dry breadcrumbs*
*olive oil for frying*
*salt, pepper to taste*

### INGREDIENTI

*1 bel coniglio grosso (circa 1½kg)*
*⅔ di tazza di farina*
*2 uova sbattute*
*2 tazze di pangrattato*
*olio d'oliva per friggere*
*sale e pepe q.b.*

### METHOD

Remove the bones from the rabbit, then finely slice the meat. Flour both sides of the meat, dip in the egg, then cover with the breadcrumbs. Fry the meat in plenty of oil until golden. Season with salt and pepper. Serve hot with lemon wedges.

*Serves 4-6*

### METODO

Lavate e disossate il coniglio, tagliate la carne a fette sottili e battetele bene. Infarinate le fette da ambo le parti e passatele nell'uovo sbattuto e poi nel pangrattato. Friggetele in abbondante olio bollente ed aggiungete sale e pepe. Servitele calde con una fetta di limone.

*4-6 persone*

# MARINATED MEAT
## Carne Marinata

This is a specialty of the Piedmont region.

Questa è una specialità della regione.

### INGREDIENTS

500g silverside (unsalted)
juice of 1 lemon
½ cup olive oil

### INGREDIENTI

500g di manzo tenero
il succo di 1 limone
½ tazza di olio d'oliva

### METHOD

Slice the meat into very thin strips and place them side by side on a long plate. Beat the lemon juice with the oil and pour over the meat. Let the marinade "cook" the meat for 3 hours (the longer you leave the meat in the marinade the better). Turn the strips occasionally.

*Serves 4-6*

### METODO

Tagliate la carne a fette sottili e disponetela in un piatto ovale. Mescolate bene il succo di limone con l'olio e versatelo sulla carne. Questa marinata "cuoce" la carne, quindi lasciatela marinare in frigorifero per almeno 3 ore (più a lungo sta nella marinata meglio viene) giratela di tanto in tanto.

*4-6 persone*

---

### BREAD OR PIZZA DOUGH

*15g salt, 30g fresh or dried yeast, 250ml tepid water, 500g plain flour, 4 tablespoons olive oil, extra flour*

Dissolve the salt and the yeast in the water. Mix with a wooden spoon. Sift the flour into a bowl and pour the dissolved yeast and the oil into a well in the centre. Mix well with a wooden spoon until a dough has formed. Knead this thoroughly (including banging it against the table from time to time) until the dough is smooth and elastic. Place the dough in a floured bowl and make a cross on its top with a knife. Cover the bowl with a teatowel and leave it in a warm place for the dough to rise. After about 1 hour, the dough will have doubled in size. Knead the dough again — now it is ready to bake as bread, focaccia or pizza.

### PASTA PER PANE O PIZZA

*15g di sale, 30g di lievito di birra, 250ml di acqua tiepida, 500g di farina, 4 cucchiai di olio d'oliva, ancora farina*

Sciogliete nell'acqua tiepida il sale e il lievito sbriciolato mescolando con un cucchiaio di legno. Mettete la farina in una ciotola, fate la fontana e al centro versate il lievito diluito e l'olio. Mescolate con un cucchiaio di legno, poi proseguite impastando con le mani e amalgamando bene gli ingredienti. Lavorate la pasta con energia, sollevatela e battetela sul piano di lavoro diverse volte, fino a che si presenta ben liscia ed elastica. Formate con la pasta una palla, ponetela in una ciotola appena infarinata e con un coltello fate sopra un taglio a croce. Copritela e lasciatela lievitare in luogo tiepido. Dopo circa un'ora la pasta avra' raddoppiato il suo volume. Lavorate la pasta energicamente ancora un poco ed ora è pronta per essere utilizzata come pane, focaccia o pizza.

# PIEDMONT PEACHES
## *Pesche alla Piemontese*

### INGREDIENTS

*4 or 6 firm, ripe yellow peaches*
*butter for tray*
*6 amaretto biscuits, crumbled*
*1 cup custard (see recipe on page 94)*
*2 tablespoons caster sugar*
*½ cup sweet white wine*

### INGREDIENTI

*4 o 6 pesche grosse e gialle*
*burro per ungere la teglia*
*6 biscotti amaretti macinati*
*1 tazza di crema pasticcera (ricetta a pag. 94)*
*2 cucchiai di zucchero*
*½ tazza di vino bianco dolce*

### METHOD

Heat the oven to 180°C. Cut each peach in half, remove the stone and scoop out some flesh to make the cavity larger. Place the peaches (hole up) in an oiled baking dish. Fold the amaretti into the custard. Fill the holes in the fruit with the custard mixture, then sprinkle the peaches with the sugar. Pour in the wine (be careful not to curdle the custard), so that the peaches sit in a bath of liquid, and bake until golden (about 20 or 25 minutes). Place the peaches in a serving bowl, then pour the juice from the baking dish over the fruit. Serve hot or cold.

*Serves 4*

### METODO

Riscaldate il forno a 180°C. Prendete le pesche, dividetele a metà, togliete il nocciolo ed allargate il buco lasciato dal nocciolo. Disponetele in una teglia imburrata con il buco verso l'alto. Unite gli amaretti alla crema pasticcera e con questo impasto riempite i buchi delle pesche, spolverando sopra dello zucchero. Versate il vino nella teglia (attenzione che non vada sulla crema) e lasciatele cucinare in forno in questo bagno di vino, per circa 20-25 minuti o fino a che le pesche saranno ben dorate. Distribuite le pesche su un piatto da portata e versate sopra il sugo di cottura. Le potrete servire calde o fredde.

*4 persone*

# SARDINIA

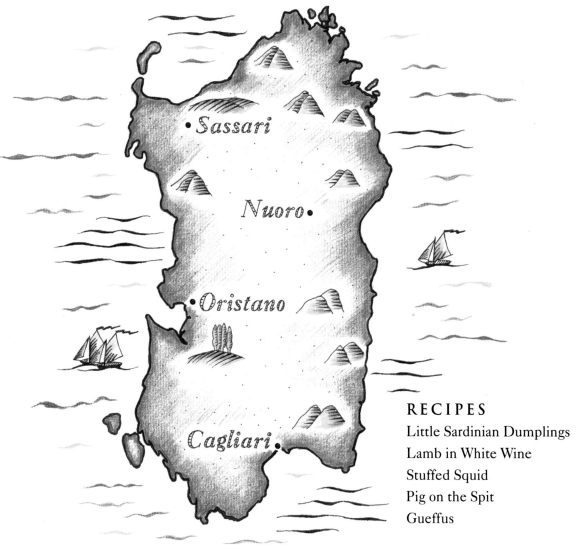

•Sassari

Nuoro•

•Oristano

Cagliari•

**RECIPES**
Little Sardinian Dumplings
Lamb in White Wine
Stuffed Squid
Pig on the Spit
Gueffus

**RICETTE**
Malloreddus
Agnello in Bianco
Calamari Ripieni
Porchetto allo Spiedo
Gueffus

Sardinia is an island in the Mediterranean Sea with an area of 24,090 square kilometres. It is divided into four provinces: Cagliari (the capital), Sassari, Nuoro and Oristano.

Sardinia's economy is based on stock raising and agriculture, and on arts and crafts that range from basket weaving, ceramics and carpets to cork workmanship. There are thousands of festivities each year that celebrate traditional folklore in music, dances, songs and parades.

*The shore of St Peter's Island, Cagliari*
*La riva dell'Isola di San Pietro a Cagliari*

ENIT

A source of pride to the Sardinians is the fact that the island had its own culture before Rome or Athens were founded and, in spite of thousands of invasions and dominations, it has maintained its ancient symbols and traditions.

Sardinia is famous for its Nuraghi, ancient towers that date from 2,000BC. There are about 7,000 of them and about 2,000 prehistoric tombs (Domus De Janas). Sardinia also has the remains of great Carthaginian and Punic Roman cities, baroque churches and Romanesque cathedrals.

The island is rich in flora and fauna. There are deer, falcons, eagles, wild boars, pink flamingoes, the rare monk seal, albino donkeys and miniature horses.

The coastline offers a variety that cannot be compared with any other Italian region: 1,849 kilometres of golden and white sand beaches, bays, coves, peaks, streams and granite cliffs, and the magnificent holiday resort, the Costa Smeralda.

La Sardegna è un'isola nel Mar Mediterraneo con una superfice di 24.090 chilometri quadrati. Comprende 4 province: Cagliari, il capoluogo, Sassari, Nuoro e Oristano.

L'economia della Sardegna è essenzialmente basata sull'allevamento del bestiame e sull'agricoltura, non dimenticando l'artigianato che include la manifattura dei cesti, delle ceramiche, dei tappeti e del sughero. Ci sono migliaia di feste ogni anno che si celebrano con musiche, canti e danze folcloristiche.

Motivo di orgoglio per i sardi è il fatto che la loro cultura esisteva ancora prima di quella Romana e Greca e che, a dispetto delle migliaia di invasioni e dominazioni, è rimasta immutata negli antichi simboli e tradizioni.

La Sardegna è famosa per i suoi "Nuraghi", antiche torri che risalgono al 2.000 a.C. di cui ne esistono circa 7.000 e per le 2.000 tombe preistoriche (Domus De Janas). In Sardegna si trovano anche rovine di grandiose città Cartaginesi e Punico-Romane, chiese barocche e cattedrali romaniche.

L'isola è ricca di flora e di fauna. Si trovano cervi falchi, aquile, cinghiali, i fenicotteri rosa, la foca monaca, gli asini albini e i cavalli nani.

La fascia costiera offre una varietà incomparabile con le altre regioni italiane: 1.849km di spiagge dorate e bianche, baie, grotte, alture rocciose, ruscelli, scogliere di granito e il meravigioso ed esclusivo centro turistico la Costa Smeralda.

# LITTLE SARDINIAN DUMPLINGS
## *Malloreddus*

### INGREDIENTS

*500g plain flour*
*salt for water*
*warm water as required*
*pinch of saffron*
*salt to taste*

### METHOD

Mix the flour with slightly salted tepid water until the mixture is of a firm consistency. Add the saffron and salt, and mix well. Form the mixture into a series of sticks 1cm long. Place these one by one against a cane basket and run your thumb along the sticks so that each one rolls up on itself and appears ribbed on the outside. Cook the dumplings in salted, boiling water and drain when they float. Sprinkle with salt and serve with a sauce of tomatoes and fresh basil.

*Serves 4-6*

### INGREDIENTI

*500g di farina*
*sale per l'acqua*
*acqua tiepida q.b.*
*1 pizzico di zafferano*
*sale q.b.*

### METODO

Impastate su un tavolo la farina con acqua tiepida appena salata, fino ad ottenere una pasta di buona consistenza. Unitevi lo zafferano, il sale e mischiate bene, lavorando l'impasto. Tagliate l'impasto a tocchetti e poi a bastoncini della lunghezza di 1cm e schiacciateli uno alla volta con il pollice su un cestino di vimini, in modo che si arrotolino su se stessi e resultino rigati all'esterno. Cucinateli in acqua bollente salata, scolateli non appena vengono su e conditeli con salsa di pomodori e basilico fresco.

*4-6 persone*

# LAMB IN WHITE WINE
## Agnello in Bianco

### INGREDIENTS

*1 clove garlic, chopped*
*1 tablespoon fresh parsley, chopped*
*1 onion, chopped*
*olive oil for frying*
*1kg lamb, cut into pieces*
*1 cup dry white wine (with 1 tablespoon water)*
*3 eggs*
*salt, pepper to taste*
*juice of 2 lemons*

### METHOD

In a frying pan, sauté the garlic, parsley and onion in a little oil. Add the lamb and watered wine. Simmer uncovered until the meat has absorbed the liquid. Beat the eggs with a pinch of salt, pepper and the lemon juice. When the meat is almost cooked (about 30 minutes), pour this egg mixture over the meat. Simmer uncovered until cooked.

*Serves 4-6*

### INGREDIENTI

*1 spicchio d'aglio tritato*
*1 cucchiaio di prezzemolo tritato*
*1 cipolla tritata*
*olio d'oliva per friggere*
*1kg di agnello tagliato a pezzi*
*1 tazza di vino bianco secco*
*(diluita con un cucchiaio d'acqua)*
*3 uova*
*sale e pepe q.b.*
*il succo di 2 limoni*

### METODO

In una padella soffriggete l'aglio, il prezzemolo e la cipolla. Unitevi l'agnello ed il vino allungato con l'acqua e lasciate bollire lentamente senza coperchio, fino al completo assorbimento del liquido. Sbattete le uova in una terrina, insieme al sale, al pepe ed al succo di limone. Quando la carne è quasi completamente cotta (deve cucinare perlomeno 30 minuti), versate sopra la salsa e lasciatela cucinare scoperta fino a cottura ultimata.

*4-6 persone*

# STUFFED SQUID
## *Calamari Ripieni*

### INGREDIENTS

*6 medium squid*
*2 cloves garlic, chopped*
*handful of parsley, chopped*
*3 anchovy fillets, finely chopped*
*5 tablespoons dry breadcrumbs*
*salt, pepper to taste*
*skewers*
*olive oil for frying*

### INGREDIENTI

*6 calamari di media grandezza*
*2 spicchi d'aglio tritati*
*1 manciata di prezzemolo tritato*
*3 filetti di acciughe tagliati a pezzetti*
*5 cucchiai di pangrattato*
*sale e pepe q.b.*
*spiedini*
*olio d'oliva per friggere*

### METHOD

Carefully clean the squid and remove the tentacles. Boil the tentacles for only a few minutes, then mince them. Combine with the garlic, parsley, anchovies, breadcrumbs, salt and pepper, then stuff the squid with the mixture. Skewer the squid so that they are closed. Heat oil in a frying pan and cook the squid until brown all over (about 10 or 15 minutes). Take care to turn them frequently. Serve as an entrée.

*Serves 6*

### METODO

Lavate bene i calamari e togliete i tentacoli, che bollirete per qualche minuto. Mischiate poi i tentacoli già bolliti tritati con l'aglio, il prezzemolo, i filetti di acciughe, il pangrattato, il sale ed il pepe. Con questo impasto, riempite i calamari, chiudendoli con alcuni stecchini. Scaldate poi l'olio in una padella e cucinateli girandoli frequentemente (circa 10 o 15 minuti). Si servono come prima portata.

*6 persone*

# PIG ON THE SPIT
## *Porchetto allo Spiedo*

## INGREDIENTS

*1 suckling pig (about 7kg)*
*salt, pepper to taste*
*200g lard*

## INGREDIENTI

*1 maialino da latte di circa 7kg*
*sale e pepe q.b.*
*200g di lardo*

## METHOD

Scrape the skin of the pig so that its bristles will scorch. Clean the pig well and season it with salt and pepper. Open the pig along the middle. Skewer it on the spit and place it 50cm above a fire of aromatic wood (this will give the meat a more distinctive flavour). Take care to keep only the chest of the pig towards the fire. When this side is almost cooked, start turning the spit. Skewer a piece of lard and heat it over a flame until it begins to melt. Drip this over the pig as it turns. Turn the spit until the pig is completely cooked (about 5 hours).

*Serves 12-15*

## METODO

Pulite bene il maialino, raschiando tutte le setole della pelle. Salatelo e pepatelo. Apritelo a metà ed infilzatelo in uno spiedo. Mettetelo a circa 50cm di distanza dal fuoco (sarebbe meglio usare legna aromatica, per dare maggiore sapore alla carne). Abbiate cura di iniziare a cucinare il maialino dalla parte del ventre e soltanto quando questo sarà quasi cotto, iniziate a far girare lo spiedo. Infilzate un pezzo di lardo in uno spiedino, scaldatelo sul fuoco e lasciatelo sgocciolare sul maialino, mentre questo gira. Continuate a far girare lo spiedo, fino a completa cottura del maialino (circa 5 ore).

*12-15 persone*

# GUEFFUS
## *Gueffus*

### INGREDIENTS

*300g caster sugar*
*½ cup water*
*400g almond kernels, peeled and grated*
*a few drops of almond essence*
*zest of 1 lemon, grated*
*extra caster sugar*

### INGREDIENTI

*300g di zucchero*
*½ tazza d'acqua*
*400g di mandorle sbucciate e tritate*
*qualche goccia di essenza di mandorle amare*
*la scorza grattugiata di 1 limone*
*ancora zucchero*

### METHOD

In a saucepan, melt the sugar with the water and bring the mixture to the boil (it should become a dense, stringy syrup). Add the almonds, almond essence and lemon zest. Cook for a few minutes over a medium heat, stirring continually (be careful not to burn). Remove the mixture from the heat when it begins to stiffen. Allow to cool slightly, then roll the mixture into small balls. Coat these in sugar. When they are dry, wrap the balls in greaseproof paper to make them look like lollies (cut the edges of the paper into fringes).

*Serves 12*

### METODO

In una pentola sciogliete lo zucchero con l'acqua e fate bollire finchè otterrete uno sciroppo denso e filante. A questo aggiungete le mandorle, l'essenza di mandorle e la scorza del limone. Fate cuocere a fuoco medio per pochi minuti mescolando continuamente (attenzione a non bruciarlo). Quando il composto comincerà ad indurire, toglietelo dal fuoco, lasciatelo raffreddare e ricavatene delle palline, che passerete nello zucchero. Prima lasciatele asciugare e, poi, una volta asciutte, avvolgetele come caramelle in carta velina tagliando con le forbici a strisciette le estremità della carta.

*12 persone*

# SICILY

Trapani

Palermo

Messina

Enna
Caltanissetta

Catania

Agrigento

Siracusa

Ragusa

**RECIPES**
Sweet & Sour Eggplant
Sicilian Crab Sauce
Sicilian Chicken
Black Ink Spaghetti
Watermelon Jelly

**RICETTE**
Caponata Siciliana
Granchi alla Siciliana
Pollo alla Siciliana
Spaghetti col Nero delle Seppie
Gelu i Muluni/Gelatina di Anguria

GINA PAPA

The island of Sicily, once called the pearl of the Mediterranean Sea, has been the stage of many foreign dominions since the Roman Empire. At different times the centre of trade in the known world, Sicily has been ruled by the Byzantines, the Spaniards, the Turks and the Portuguese.

Celebrated by many poets, Sicily also found a place in Homer's *Odyssey*. According to Greek mythology, the small archipelagos of the Eolian islands are huge rocks that were thrown at Ulysses by the Cyclop Poliphemus.

The capital of Sicily is Palermo. Palermo and the other eight major cities — Messina, Catania, Siracusa, Ragusa, Enna, Caltanissetta, Agrigento and Trapani — have been written into the glorious pages of history. Their many artistic buildings in the baroque style are scattered all over the island, like the lava of the volcano Aetna.

Sicily is a major producer of citrus fruits, grains, olives and wine. And Sicilian cuisine has an excellent reputation all over the world, earned by its many gastronomic delicacies. The influences of different civilisations are noticeable at the dining table, as Sicily has preserved Arabic, Greek and Spanish gastronomic traditions in its cuisine, with all the fragrances of mint, anisette, clove, oregano and cinnamon.

In this book, we have included a series of old recipes that particularly embody the flavours, scents and all the goodness of the Sicilian spirit.

L'isola di Sicilia, un tempo conosciuta come "la perla del Mediterraneo", è stata teatro di dominazioni straniere fin dai tempi dell'Impero Romano. In epoche diverse, grazie alla sua posizione, trovandosi cioè al centro del mondo commerciale fino allora conosciuto, quest'isola è stata oggetto di dominazioni straniere come: i Bizantini, gli Spagnoli, i Turchi, i Portoghesi ed altre ancora.

Celebrata da moltissimi poeti, la Sicilia occupa un posto di rilievo nell'*Odissea* del grande poeta Omero. Infatti secondo la mitologia greca, l'arcipelago delle isole Eolie altro non è che grosse rocce, che il Ciclope Polifemo lanciò ad Ulisse mentre fuggiva.

Il capoluogo della Sicilia è Palermo e le altre 8 città importanti sono: Messina, Catania, Siracusa, Ragusa, Enna, Caltanissetta, Agrigento e Trapani. Tutte le città siciliane sono immortalate nelle gloriose pagine della storia. I molteplici palazzi ed opere d'arte architettonica in stile barocco sono un pò dappertutto nell'isola, come pure la lava del vulcano Etna.

Questa regione è una grande produttrice di agrumi, frutta, grano, olive e vino. I prodotti gastronomici di ottima qualità hanno dato alla cucina siciliana una reputazione eccellente in tutto il mondo. L'influenza delle varie civilizzazioni succedutesi in Sicilia viene rivelata a tavola con l'uso di fragranze antiche come la menta, il finocchietto, il chiodo di garofano, l'origano e la cannella, secondo l'uso tradizionale degli Arabi, dei Greci e degli Spagnoli.

In questo libro abbiamo incluso una serie di antiche ricette, che accentuano in particolare gli odori e la bontà dello spirito siciliano.

*A fisherman's boat and its catch*        *Una barca di pescatori dopo la pesca*

# SWEET & SOUR EGGPLANT
## *Caponata Siciliana*

### INGREDIENTS

*2 eggplants, cubed*
*salt*
*½ cup olive oil*
*2 onions, chopped*
*500g tomatoes, chopped*
*2 capsicums, chopped*
*2 sticks celery, chopped*
*4 tablespoons vinegar*
*1 tablespoon caster sugar*
*2 cloves garlic, crushed*
*10 green olives, chopped*
*1 tablespoon capers*
*salt, pepper to taste*

### INGREDIENTI

*2 melanzane tagliate a cubetti*
*sale*
*½ tazza d'olio d'oliva*
*2 cipolle tritate*
*500g di pomodori tagliati a pezzi*
*2 peperoni tagliati a pezzi*
*2 coste di sedano tagliate a pezzi*
*4 cucchiai di aceto*
*1 cucchiaio di zucchero*
*2 spicchi d'aglio schiacciati*
*10 olive verdi a pezzi*
*1 cucchiaio di capperi*
*sale e pepe q.b.*

### METHOD

Sprinkle the eggplant with salt and leave in a colander for 30 minutes, then rinse and pat dry. Heat the oil in a large frying pan and cook the eggplant pieces until golden. Put aside. In the same pan, cook the onions, tomatoes, capsicums and celery for 5 minutes over a moderate heat. Add the eggplant pieces and cook for another 10 minutes. Add the vinegar, sugar, garlic, olives and capers and cook for 15 minutes, until the liquid has reduced. Season with salt and pepper. Serve hot or cold as an antipasto or a side dish.

*Serves 6-8*

### METODO

Cospargete di sale i cubetti di melanzane e metteteli a sgocciolare per 30 minuti, poi sciacquateli, asciugateli e friggeteli in padella con un po' d'olio, mettete da parte. Scaldate l'olio in una larga padella ed unitevi la cipolla, i pomodori, i peperoni ed il sedano. Cucinateli per 5 minuti, aggiungete le melanzane e cucinate per altri 10 minuti a fuoco moderato. Unitevi poi l'aceto, lo zucchero, l'aglio, le olive ed i capperi e lasciate cucinare per 15 minuti ancora, finchè la salsa si sia ristretta. Aggiustate di sale e di pepe. Potrete servire la caponata calda o fredda. Si serve come antipasto o come contorno.

*6-8 persone*

# SICILIAN CRAB SAUCE
## *Granchi alla Siciliana*

### INGREDIENTS

*6 medium crabs*
*¼ cup olive oil*
*2 cloves garlic, chopped*
*1 large onion, sliced*
*1kg tomatoes, diced*
*2 bay leaves*
*salt, pepper to taste*
*salt for water*
*1kg spaghetti*
*1 teaspoon parsley, chopped*

### INGREDIENTI

*6 granchi di media grandezza*
*¼ di tazza di olio d'oliva*
*2 spicchi d'aglio tritati*
*1 grossa cipolla affettata*
*1kg di pomodori a pezzi*
*2 foglie di alloro*
*sale e pepe q.b.*
*sale per l'acqua*
*1kg di spaghetti*
*1 cucchiaino di prezzemolo tritato*

### METHOD

Cut the crabs into halves and clean. Heat the oil in a large saucepan. Add the garlic and onion and cook for a few minutes. Add the crabs, tomatoes, bay leaves, salt and pepper. Cover and cook slowly for 20 minutes. In a large saucepan of salted, boiling water, cook the pasta until al dente. Serve the crabs on a separate plate. Pour the sauce over the pasta and serve with sprinkled parsley. A variation is to cook the crabs in a saucepan of water instead of using the tomatoes. In this case, serve the liquid as a soup with noodles.

*Serves 6*

### METODO

Tagliate i granchi a metà e puliteli. In un grande tegame lasciate rosolare per alcuni minuti l'aglio e la cipolla, poi unitevi granchi, i pomodori, le foglie di alloro, il sale ed il pepe. Coprite e lasciate cucinare adagio per 20 minuti circa. Intanto in una pentola d'acqua bollente e salata cucinate gli spaghetti al dente. Scolateli e conditeli con la salsa ed una spolverata di prezzemolo tritato. Servite i granchi in un piatto separato. Potete anche cucinare i granchi senza salsa, aggiungendo una caraffa d'acqua al posto dei pomodori. Otterrete così una zuppa a cui unirete la pastina.

*6 persone*

# SICILIAN CHICKEN
## *Pollo alla Siciliana*

## INGREDIENTS

*½ cup vinegar*
*3 cloves garlic, chopped*
*3 onions, sliced*
*3 capsicums, chopped*
*100g green olives, pitted and chopped*
*pinch of oregano*
*salt, pepper to taste*
*1 chicken*
*olive oil for frying*
*4 tomatoes, peeled and chopped*

## INGREDIENTI

*½ tazza d'aceto*
*3 spicchi d'aglio tritati*
*3 cipolle affettate*
*3 peperoni tagliati a pezzi*
*100g di olive verdi snocciolate e tagliate a pezzi*
*1 pizzico di origano*
*sale e pepe q.b.*
*1 pollo*
*olio d'oliva per friggere*
*4 pomodori pelati tagliati a pezzi*

## METHOD

In a large bowl, combine the vinegar, garlic, onions, capsicums, olives, oregano, salt and pepper to make a marinade. Wash and dry the chicken and cut into pieces. Place the chicken in the marinade and leave for 2 hours. After that time, remove the chicken and onions from the marinade, and, in a saucepan, sauté the onions with oil. Add the chicken and fry for about 10 minutes. Add the tomatoes. Drain the liquid from the marinade and add the solid ingredients to the chicken and onions. Cover until cooked.

*Serves 4*

## METODO

In un grande contenitore mettete l'aceto, l'aglio, le cipolle, i peperoni, le olive, l'origano, il sale ed il pepe e metteteci a marinare il pollo che avrete prima lavato, asciugato e tagliato a pezzi. Lasciatelo marinare per 2 ore, poi togliete il pollo e la cipolla dalla marinata. Rosolate la cipolla in padella con dell'olio ed aggiungete i pezzi di pollo che rosolerete per 10 minuti circa. Unitevi i pomodori, insieme agli ingredienti solidi usati per marinare (buttate via il liquido), coprite e lasciate cucinare finchè sarà pronto per servirlo.

*4 persone*

# BLACK INK SPAGHETTI
## *Spaghetti col Nero delle Seppie*

| INGREDIENTS | INGREDIENTI |
|---|---|
| *1kg cuttlefish* | *1kg di seppie* |
| *olive oil for frying* | *olio d'oliva per friggere* |
| *1 onion, sliced* | *1 cipolla affettata* |
| *1 clove garlic, chopped* | *1 spicchio d'aglio tritato* |
| *1kg tomatoes, chopped* | *1kg di pomodori tagliati a pezzi* |
| *salt, pepper to taste* | *sale e pepe q.b.* |
| *600g spaghetti* | *600g di spaghetti* |
| *salt for water* | *sale per l'acqua* |

## METHOD

Clean the cuttlefish by removing the eyes and central bone. Retain the ink bladder (unbroken). Wash the cuttlefish under running water and then cut into pieces. Heat oil in a frying pan and sauté the onion and garlic until golden. Add the tomatoes, salt and pepper, and cook for 5 minutes. Add the cuttlefish and the ink bladder. Cover and simmer for 20 minutes. In the meantime, cook the spaghetti in salted, boiling water until al dente. Drain well and serve with the sauce.

*Serves 4*

## METODO

Pulite le seppie eliminando gli occhi, l'osso e mettendo da parte le vescichette dell'inchiostro, possibilmente intere. Lavate le seppie sotto l'acqua corrente e tagliatele a pezzi. In un tegame con l'olio fate rosolare la cipolla e l'aglio fino che saranno dorati. Unite il pomodoro, il sale ed il pepe e lasciate cucinare per 5 minuti. Aggiungete adesso le seppie e l'inchiostro, coprite e lasciate cucinare a fuoco moderato per circa 20 minuti. Intanto in una pentola d'acqua bollente e salata, cucinate gli spaghetti al dente, scolateli e conditeli con la salsa delle seppie.

*4 persone*

# WATERMELON JELLY
## *Gelu i Muluni/Gelatina di Anguria*

| INGREDIENTS | INGREDIENTI |
|---|---|
| 1 watermelon (about 2½kg) | 1 anguria di 2½kg |
| 350g caster sugar | 350g di zucchero |
| 125g cornflour | 125g di amido per dolci |
| a few drops of vanilla essence | qualche goccia di essenza di vaniglia |
| 50g dark cooking chocolate, grated | 50g di cioccolato grattugiato |
| 50g dried fruit | 50g di frutta candita |
| 20g pistachio nuts | 20g di pistacchio |
| pinch of cinnamon | 1 pizzico di cannella in polvere |

### METHOD

Cut and empty the watermelon and sieve the pulp into a container. In a saucepan, add the watermelon juice to the sugar and cornflour and bring to the boil. Remove from the heat, add the vanilla essence and let cool. Add the chocolate, dried fruit and pistachios, and mix. Pour the mixture into a shallow glass bowl. Sprinkle the cinnamon on top and place in the refrigerator. Serve when set.

*Serves 6*

### METODO

Tagliate e svuotate l'anguria, passate la polpa al setaccio e raccoglietela in un recipiente, aggiungendovi lo zucchero e l'amido. Fate bollire il composto, poi toglietelo dal fuoco, unitevi l'essenza di vaniglia e lasciate raffreddare. Aggiungete il cioccolato, i canditi, il pistacchio e mescolate bene. Per finire versate il composto in un recipiente basso di vetro e mettetelo in frigo cosparso di cannella.

*6 persone*

## CUSTARD

2 ½ cups milk, 6 egg yolks, ½ cup caster sugar, vanilla extract to taste

Bring the milk to the boil. In a bowl, beat the egg yolks with the sugar until they are white and creamy. Pour the boiling milk into the egg mixture and whisk to combine. Return the mixture to the saucepan and stir over a low heat until the custard coats the back of a wooden spoon. Stir in a little vanilla extract. Strain the custard and allow to cool.

## CREMA PASTICERRA

2 ½ tazze di latte, 6 tuorli, ½ tazza di zucchero, essenza di vaniglia q.b.

Portare il latte a bollore. Sbattere i tuorli con lo zucchero fino a che sono bianchi e cremosi. Versare il latte bollente nel composto di uova e mescolare fino a che sono amalgamati. Versare il composto nel tegame e cuocere su fuoco basso mescolando fino a che la crema riveste il rovescio di un cucchaio di legno. Aggiungere un poco di essenza di vaniglia. Versare la crema e lasciarla raffreddare.

# TUSCANY

Carrara
Massa
Pistoia
Lucca
Pisa
Florence
Livorno
Arezzo
Siena
Grosseto

**RECIPES**

Onion, Tomato & Bread Salad

Veal Hunter Style

Beans with Tomatoes

Stockmen's Spaghetti

Bean & Cabbage Soup

**RICETTE**

Panzanella

Bistecche alla Cacciatora

Fagioli all'Uccelletto

Spaghetti alla Buttera

Ribollita

*The splendid cathedral of Florence, St Maria del Fiore*
*Lo splendido duomo di Firenze Santa Maria del Fiore*

The magnificent region of Tuscany is bordered by Liguria and Emilia-Romagna to the north, Umbria and Lazio to the south and Marche to the east.

Tuscan cuisine dates back thousands of years and the Tuscans' attitude towards food has not changed over this time. The secret of Tuscan cooking has always been its simplicity, with wine, oil and bread playing a very important role.

Tuscany, the land of the Etruscans, is famous for its beautiful landscapes (look at the incomparable Tuscan hills), and the unrivalled cultural history of its major cities — Florence, Arezzo, Livorno, Grosseto, Pisa, Lucca, Siena, Pistoia, Massa and Carrara.

Florence, the capital of the region, is rich in art, thanks to members of the de Medici family who surrounded themselves with artists and scholars of unparalleled ability. Florence is also noted for the manufacture of quality jewellery, ceramics, straw and leather goods.

The hills have always been intensely cultivated with vineyards and olive groves. In Tuscany, olive oil has always been considered a basic condiment and its oil enjoys great prestige.

Tuscany's most famous wine is Chianti. If you wish to purchase real Chianti, ensure that "Classico D.O.C." is included on the label.

Questa magnifica regione, situata nell'Italia centrale, confina a nord con la Liguria e l'Emilia-Romagna, a sud con l'Umbria ed il Lazio e ad est con Le Marche.

La cucina toscana è antichissima e questa regione si è mantenuta fedele nel corso dei secoli alle tradizioni più genuine, valorizzando principalmente il suo olio, il suo pane ed il suo vino.

La Toscana, patria degli antichi Etruschi, è famosa per le incomparabili colline e per la cultura e la storia delle sue principali città: Firenze, Arezzo, Livorno, Grosseto, Pisa, Lucca, Siena, Pistoia, Massa e Carrara.

Firenze, capoluogo della Toscana, è ricca d'arte grazie alla famiglia de Medici al centro di una corte di letterati ed artisti di grande ingegno. Firenze è anche conosciuta per l'artigianato: oreficerie, ceramiche, lavorazione della paglia e della pelle.

Le colline toscane sono intensamente coltivate a vigneti ed uliveti. L'olio d'oliva è sempre stato considerato un condimento base e quello toscano gode di grande prestigio.

Tra i vini celebre è il Chianti e per essere sicuri della validità del prodotto, sull'etichetta deve essere scritto "Classico D.O.C.".

*The red earth of Siena with Chianti Classico vineyards*

*La rossa terra di Siena e vigneti di Chianti classico*

*The famous Leaning Tower and the Cathedral of Pisa*

*La famosa torre di Pisa e il duomo*

KEN WILDER

ENIT

# ONION, TOMATO & BREAD SALAD
## *Panzanella*

This recipe can be enriched or varied to suit your taste. For example, you could add olives, capers, tuna, hardboiled eggs, anchovies or garlic.

Questa ricetta può essere arricchita o variata a piacere. Potete, per esempio, aggiungervi olive, capperi, tonno sott'olio, uova sode, filetti di acciughe ed aglio.

### INGREDIENTS

300g stale Italian-style bread
4 tablespoons vinegar
small bunch of parsley, chopped
10 basil leaves, chopped
30g spring onions, chopped
2 tomatoes, peeled and diced
salt, pepper to taste
5 tablespoons olive oil

### INGREDIENTI

300g di pane italiano raffermo
4 cucchiai di aceto
1 mazzetto di prezzemolo tritato
10 foglie di basilico tritate
30g di cipolla fresca
2 pomodori pelati a pezzi
sale e pepe q.b.
5 cucchiai d'olio d'oliva

### METHOD

Break the bread into pieces and soak in plenty of cold water, then squeeze out the excess liquid. Crumble the bread and place in a salad bowl. Pour the vinegar over the top. Add the parsley, basil, onions and tomatoes, then the salt, pepper and oil. Mix and serve.

*Serves 4*

### METODO

Spezzettate il pane e mettetelo a bagno in abbondante acqua fredda, quindi strizzatelo, sbriciolatelo e mettetelo in una ciotola. Irroratelo poi con l'aceto ed aggiungetevi il prezzemolo, il basilico, la cipolla, i pomodori, il sale, il pepe ed infine l'olio. Mischiate il tutto e servite.

*4 persone*

# VEAL HUNTER STYLE
## Bistecche alla Cacciatora

## INGREDIENTS

*plain flour*
*4 veal slices (about 600g)*
*⅓ cup olive oil*
*1 onion, finely chopped*
*salt, pepper to taste*
*zest of 1 lemon, grated*
*½ cup red wine*
*2 tomatoes, peeled and chopped*
*100g mushrooms, coarsely chopped*

## INGREDIENTI

*farina*
*4 bistecche di vitello (circa 600g)*
*⅓ di tazza di olio d'oliva*
*1 cipolla finemente affettata*
*sale e pepe q.b.*
*la scorza grattugiata di 1 limone*
*½ tazza di vino rosso*
*2 pomodori pelati a pezzetti*
*100g di funghi a pezzi grossi*

## METHOD

Lightly flour the veal. In a frying pan large enough to take all the slices, heat the oil and sauté the onion until transparent. Add the veal and brown on both sides. Add the salt, pepper and lemon zest. Add the wine. When the juices have reduced, add the tomatoes and mushrooms. Cover the pan and cook the veal over a moderate heat for 15 minutes. Serve with the pan juices. This dish is ideally served with mashed potatoes, greens sautéed in butter, or beans with tomatoes (see recipe on page 100).

*Serves 4*

## METODO

Infarinate leggermente le bistecche. In una padella larga abbastanza da potere contenere tutte le bistecche in un solo strato, soffriggete la cipolla finchè sia trasparente, poi unite la carne e lasciatela colorire da ambo i lati. Salatela, pepatela ed aromatizzatela con la scorzetta del limone. Aggiungete il vino e quando sarà evaporato, unite i pomodori ed i funghi. Coprite e lasciate cucinare a fuoco moderato per 15 minuti circa, servite le bistecche con il loro sugo. I contorni ideali per questo piatto sono: purè di patate, verdure al burro o i classici fagioli all'uccelletto (ricetta a pag. 100).

*4 persone*

# BEANS WITH TOMATOES
## *Fagioli all'Uccelletto*

| INGREDIENTS | INGREDIENTI |
|---|---|
| *300g dried cannellini beans* | *300g di fagioli cannellini* |
| *½ cup olive oil* | *½ tazza di olio d'oliva* |
| *2 leaves of sage* | *2 rametti di salvia* |
| *2 cloves garlic, crushed* | *2 spicchi d'aglio schiacciati* |
| *salt, pepper to taste* | *sale e pepe q.b.* |
| *300g tomatoes, peeled and chopped* | *300g di pomodori pelati a pezzetti* |

## METHOD

Soak the beans overnight in cold water. Drain, then place them in a saucepan of cold water over a moderate heat (when stirring beans, use only a wooden spoon). Cook for about 1 hour (beans should still be firm). Heat the oil in a saucepan, then add the sage, garlic and pepper. Add the beans and salt to taste. Stir and allow to simmer for a few minutes. Add the tomatoes and cook until the juices have thickened.

*Serves 4*

## METODO

Mettete i fagioli a bagno per una notte, quindi scolateli e metteteli in un tegame con acqua fredda, cucinateli a calore moderato per circa 1 ora (mescolate i fagioli usando un cucchiaio di legno). Scolateli quando sono ancora al dente. Intanto mettete sul fuoco un tegame con l'olio ed aggiungete la salvia, l'aglio ed il pepe. Unite i fagioli ed il sale e mescolate bene, lasciandoli insaporire per alcuni minuti. Aggiungete i pomodori e lasciate cucinare fino a che la salsa si sarà addensata.

*4 persone*

# STOCKMEN'S SPAGHETTI
## *Spaghetti alla Buttera*

This recipe was a favourite of the tough and tireless stockmen (butteri) who tended their cows on horseback along the Maremma coast.

### INGREDIENTS

*4 tablespoons olive oil*
*2 cloves garlic, crushed*
*chilli to taste*
*40g pancetta or bacon, diced*
*50g prosciutto, diced*
*700g tomatoes, peeled and chopped*
*600g spaghetti*
*salt for water*
*4 egg yolks, beaten*
*handful of parmesan cheese, grated*

### METHOD

In a saucepan, heat the oil and add the garlic, chilli, pancetta or bacon and prosciutto. Brown over a high heat. When the garlic has become transparent, add the tomatoes. Reduce the heat and cook for another 10 minutes, stirring occasionally with a wooden spoon. In the meantime, cook the pasta in salted, boiling water. (Note: do not use spaghetti with a hole through it.) When the spaghetti is al dente, drain and toss into the egg yolks. Mix well, then pour most of the sauce over the spaghetti, adding half of the parmesan. Mix again. Cover the spaghetti with the remaining sauce and parmesan and serve piping hot.

*Serves 6*

Sono un'eredità gatronomica di uomini rudi ed infaticabili chiamati "butteri", che trascorrevano la vita nelle "maremme" a cavallo, come guardiani delle mandrie.

### INGREDIENTI

*4 cucchiai di olio d'oliva*
*2 spicchi d'aglio schiacciati*
*peperoncino q.b.*
*40g di pancetta a dadini*
*50g di prosciutto crudo a dadini*
*700g di pomodori pelati a pezzetti*
*600g di spaghetti*
*sale per l'acqua*
*4 tuorli sbattuti*
*1 manciata di parmigiano grattugiato*

### METODO

Mettete sul fuoco un tegame con l'olio, l'aglio, il peperoncino, la pancetta e il prosciutto e non appena l'aglio si sarà imbiondito, unite i pomodori. Abbassate il fuoco e lasciate cucinare per 10 minuti circa, mescolando di tanto in tanto con il cucchiaio di legno. Intanto fate cucinare gli spaghetti in acqua salata (quelli più grossi non bucati) e quando sono al dente, scolateli e versateli in una terrina, dove in precedenza avete sbattuto i tuorli d'uovo. Mescolate bene, versate quasi ¾ della salsa e spolverate con un pò di parmigiano. Mescolate ancora e coprite con il resto del sugo e del formaggio e serviteli fumanti.

*6 persone*

# BEAN & CABBAGE SOUP
## *Ribollita*

## INGREDIENTS

*300g borlotti or cannellini beans*
*7 tablespoons olive oil, 3 onions, chopped*
*3 cloves garlic, finely chopped*
*1 stick celery, coarsely chopped*
*2 carrots, coarsely chopped, 1 leek, coarsely chopped*
*1 tomato, peeled and chopped, 1½ litres water*
*pinch of salt, 300g savoy cabbage, coarsely chopped*
*sprig of rosemary, sprig of thyme*
*4 slices of Italian-style bread*
*extra garlic and olive oil*

## INGREDIENTI

*300g di fagioli cannellini o borlotti, 7 cucchiai di olio d'oliva*
*3 cipolle tritate, 3 spicchi d'aglio tritato*
*1 costa di sedano tagliata a pezzi*
*2 carote tagliate a pezzi, 1 porro tagliato a pezzi*
*1 pomodoro pelato tagliato a pezzi*
*1½ litri d'acqua, 1 pizzico di sale*
*300g di foglie di cavolo nero o verza*
*1 rametto di rosmarino, 1 rametto di timo*
*4 fette di pane tipo italiano*
*ancora aglio ed ancora olio d'oliva*

## METHOD

Soak the beans overnight. Drain. Heat the oven to 200°C. Heat 2 tablespoons of oil in a large saucepan and sauté 2 onions and 1 clove of garlic. Add the celery, carrots, leek and tomato. Add the beans. Add the water and salt and cook slowly for 1 hour. When the beans are cooked, put aside 3 tablespoons of them. Pass the remainder through a sieve or mouli. Return the blended beans to the heat and add the whole beans. Add the cabbage. In a smaller saucepan, heat the remaining oil with the rosemary, thyme and the remaining garlic. When these have browned, strain through a sieve and add to the soup. Toast the slices of bread and rub them with garlic. Place the bread on the bottom of 4 ovenproof dishes, then fill each dish with the soup. Place the remaining onion on the top of each soup and pour a little oil over the top. Brown for a few minutes in the oven. The soup is ready to be served when a light, golden crust has formed.

*Serves 4*

## METODO

Mettete a bagno i fagioli per una notte e scolateli quando vi occorrono. Scaldate il forno a 200°C. In un tegame largo scaldate 2 cucchiai di olio e fate appassire 2 cipolle e 1 spicchio di aglio, poi aggiungete il sedano, le carote, il porro, il pomodoro ed i fagioli. Aggiungete l'acqua ed il sale e fate cucinare lentamente per 1 ora. Quando i fagioli sono cotti, tenetene 3 cucchiai da parte e passate il resto al passaverdure. Ponete sul fuoco il passato insieme ai fagioli interi ed al cavolo tagliato grossolanamente. In un tegamino a parte scaldate 5 cucchiai di olio insieme a rosmarino, timo ed al rimanente aglio, appena saranno imbionditi, filtrate l'olio nella zuppa. Tostate le fette di pane e soffregatele con uno spicchio d'aglio poi mettetele sul fondo di 4 recipienti individuali da forno, riempiteli con la minestra ricoprendone la superfice con la rimanente cipolla. Alla fine irrorate ciascuna zuppa con dell'olio e fate gratinare nel forno per alcuni minuti. La ribollita sarà pronta quando avrà formato una leggera crosticina dorata sopra.

*4 persone*

# VENETO

## RECIPES

Venetian Calf's Fry
Vicenzan Stockfish
Marinated Sardines
Fennel au Gratin
Apple Strudel

## RICETTE

Fegato alla Veneziana
Baccalà alla Vicentina
Sardelle in Savor
Finocchi Gratinati
Struccolo di Pomi

*A typical bridge over a canal in Venice*
*Un ponte caratteristico su un canale a Venezia*

Veneto borders with Austria, the Adriatic Sea, and the Italian regions Friuli, Trentino, Lombardy and Emilia-Romagna.

The capital is Venice, a city known throughout the world. There are no cars or buses in Venice; instead, there are gondolas, ferries and other water transport. St Mark's Basilica, with its Byzantine cupola and Romanesque facade, is one of many beauties that attract visitors each year.

There are other important cities in Veneto, such as Verona which is very well known for its Arena, attracting lovers of opera from all over the world, and for the romantic house of Romeo and Juliet. Because of its university, founded in 1222, Padova is called La Dotta (The Learned), but it is also visited for its Roman gothic basilica dedicated to St Anthony. Vicenza is well known for the Palladio who left to the city the richest architectural heritage in Italy (see the symbol of the city, the Basilica, the Loggia del Capitano, the Ville Venete). Belluno, situated in the north of Veneto, is famous for its beautiful mountains, Marmolada, Antelao, Cristallo, Le Tofane and, of course, the well known and elegant ski resort Cortina d'Ampezzo. Rovigo is situated in the Padana plains (Pianura Padana) and produces great quantities of beet sugar and wheat. Treviso, known as the city of joy and love, is the place where Carlo Goldoni wrote that, "while on holidays along the banks of the silvery Sile, one walks, plays, enjoys pleasant conversation and sometimes goes off to be alone with a beautiful young woman". Here, you will find large baskets of red radicchio (chicory) displayed everywhere.

There are well known wines from this region: Soave (a dry white as suave as its name indicates) and three reds, Valpolicella, Bardolino and Valpantena.

Il Veneto è una regione dell'Italia del nord che confina con l'Austria, il Friuli, il Trentino, la Lombardia, l'Emilia-Romagna ed il mare Adriatico.

Venezia è il capoluogo, una città unica nel suo genere e conosciuta in tutto il mondo, poichè non ci sono macchine o autobus, ma gondole, vaporetti ed altri mezzi di trasporto sempre per via acqua. La chiesa di San Marco con la sua cupola Bizantina e la facciata Romanica, è l'opera artistica più importante, che ogni anno attrae migliaia di turisti da tutto il mondo.

Altre città importanti del Veneto sono: Verona, che è molto conosciuta per la sua Arena e attrae gli amanti dell'opera da tutto il mondo, ma i turisti visitano Verona anche per poter vedere la famosa casa di Giulietta e Romeo. Padova è chiamata La Dotta per la sua antichissima università, che fu fondata nel 1222. Questa città è importante anche perchè possiede la Basilica di Sant'Antonio di stile Romano Gotico. Vicenza è molto nota per il Palladio che le ha lasciato una ricca eredità di architettura come la Basilica, simbolo della città, la Loggia del Capitano, le Ville Venete. Belluno, al nord, è famosa per le sue belle montagne: la Marmolada, l'Antelao, il Cristallo e le Tofane ed il famoso ed elegante centro turistico di Cortina d'Ampezzo, meta degli sciatori. Rovigo è situata nella Pianura Padana e produce grandi quantità di barbabietole da zucchero e frumento. Treviso, chiamata "La Marca gioiosa ed amorosa" dove Carlo Goldoni, trovandovisi in vacanza, così scriveva: "Lungo le rive dell'argenteo Sile si spazziva, se zoga' se ciacola e qualche volta se se incantona". Treviso è nominata per il radicchio ed i cesti del suo radicchio rosso sono esposti dappertutto.

I suoi vini più conosciuti sono 4: il bianco Soave, soave come indica il nome, ed i 3 rossi — il Valpolicella, il Bardolino ed il Valpantena.

*The popular ski resort on the Alps Cortina d'Ampezzo*
*La famosa località nelle Alpi Cortina d'Ampezzo*

ENIT

# VENETIAN CALF'S FRY
## *Fegato alla Veneziana*

### INGREDIENTS

*3 tablespoons olive oil*
*4 onions, finely chopped*
*1 calf's liver or lamb's liver, finely sliced*
*½ cup dry white wine*
*salt, pepper to taste*
*2 tablespoons parsley, chopped*

### INGREDIENTI

*3 cucchiai di olio d'oliva*
*4 cipolle finemente affettate*
*1 fegato di vitello o di agnello finemente affettato*
*½ tazza di vino bianco secco*
*sale e pepe q.b.*
*2 cucchiai di prezzemolo tritato*

### METHOD

Heat the oil in a frying pan. Add the onions and sauté until golden, then remove. Add the calf's liver and cook over a high heat for 2 minutes on each side. Add the wine, onions, salt and pepper, and stir. Cook until the wine has reduced. Sprinkle with the parsley and serve immediately with fresh Italian-style bread.

*Serves 4*

### METODO

Scaldate l'olio nella padella e fatevi rosolare la cipolla. Toglietela dalla padella ed aggiungete il fegato, fatelo cucinare a fuoco alto per 2 minuti da ambo le parti. Aggiungete a questo punto il vino, le cipolle, il sale ed il pepe e mescolate. Sarà cotto quando il vino si sarà evaporato. Cospargetelo di prezzemolo e servitelo immediatamente con pane fresco di stile italiano.

*4 persone*

# VICENZAN STOCKFISH
## *Baccalà alla Vicentina*

### INGREDIENTS

*500g stockfish (sun-dried cod)*
*250ml olive oil*
*2 onions, chopped*
*4 cloves garlic, finely chopped*
*6 anchovy fillets in oil, chopped*
*2 tablespoons parsley, chopped*
*2 tablespoons plain flour*
*2 tablespoons parmesan cheese, grated*
*freshly ground pepper to taste*
*300ml milk*

### INGREDIENTI

*500g di stoccafisso*
*250ml di olio d'oliva*
*2 cipolle tritate*
*4 spicchi d'aglio tritato*
*6 filetti di acciughe a pezzi*
*2 cucchiai di prezzemolo tritato*
*2 cucchiai di farina*
*2 cucchiai di parmigiano grattugiato*
*pepe fresco macinato q.b.*
*300ml di latte*

### METHOD

The stockfish needs to be beaten and soaked for at least 36 hours with repeated changes of water. After soaking, remove the bones from the fish and coarsely shred it or cut into small pieces. Heat the oven to 150°C. Heat some of the oil in a saucepan and sauté the onions and garlic until golden. Add the anchovies, parsley and the stockfish. Sprinkle the flour, parmesan and pepper on top of the stockfish, then add the rest of the oil and the milk (the quantity of milk must be greater than the quantity of oil). Place the stockfish in a large ovenproof dish in one layer. Bake until all the milk has been absorbed (if the fish begins to brown or dry out at any stage in the baking, cover the dish with aluminium foil). When cooked (about 2 hours), the stockfish should be golden. Serve with warm polenta.

*Serves 4*

### METODO

Lo stoccafisso va sbattuto e tenuto a bagno per almeno 36 ore, con ripetuti cambi d'acqua. Pulite lo stoccafisso per bene togliendo le lische e tagliatelo a pezzi piccoli. Scaldate il forno a 150°C. Fate un soffritto con olio, cipolla ed aglio, e quando il tutto avrà preso un colore biondo, aggiungete le acciughe, il prezzemolo ed il pesce. Cospargete sul pesce la farina, il parmigiano ed un pò di pepe, quindi aggiungete il rimanente olio ed il latte, che deve essere in quantità appena superiore all'olio. Disponete lo stoccafisso in una teglia da forno larga abbastanza da contenerlo in uno strato solo. Cucinatelo in forno a fiamma bassa fino a consumazione del latte. A cottura ultimata, circa 2 ore, lo stoccafisso deve risultare dorato. Se fosse necessario, coprite la teglia per evitare che diventi troppo scuro o troppo asciutto. Servitelo con una calda polenta.

*4 persone*

# MARINATED SARDINES
## *Sardelle in Savor*

| INGREDIENTS | INGREDIENTI |
|---|---|

SARDINES
*1kg fresh sardines*
*plain flour*
*olive oil for frying*

MARINADE
*¼ cup olive oil*
*2 onions, finely chopped*
*1 clove garlic, chopped*
*2 bay leaves*
*sprig of rosemary*
*zest of 1 lemon, grated*
*salt, pepper to taste*
*1 cup vinegar*
*½ cup water*

SARDELLE
*1kg di sarde*
*farina*
*olio d'oliva per friggere*

SAVOR
*¼ di tazza d'olio d'oliva*
*2 cipolle finemente affettate*
*1 spicchio d'aglio tritato*
*2 foglie di alloro*
*1 rametto di rosmarino*
*la scorza grattugiata di 1 limone*
*sale e pepe q.b.*
*1 tazza d'aceto*
*½ tazza d'acqua*

| METHOD | METODO |
|---|---|

Clean the sardines and remove the heads. Open them flat, wash and dry, then roll in flour. Fry the sardines in very hot oil until crisp and golden. Drain on absorbent paper. Heat the oil in a large frying pan. Add the onions and cook until translucent. Add the garlic, bay leaves, rosemary, lemon zest, salt and pepper, and stir. Gradually add the vinegar and the water. Bring this to the boil for 2 or 3 minutes. Place the sardines side by side in a shallow serving dish, then pour the hot marinade over them. Leave for 24 hours in a cold place before serving.

*Serves 6*

Pulite le sarde togliendo le teste, apritele, lavatele, asciugatele ed infarinatele. Friggete le sarde nell'olio bollente finchè saranno ben dorate e lasciatele sgocciolare su carta assorbente. Scaldate l'olio, aggiungete le cipolle e fatele rosolare fino a che sono trasparenti. Aggiungete l'aglio, l'alloro, il rosmarino, la scorza di limone, sale e pepe e mescolate. Aggiungete poco alla volta l'aceto e l'acqua e portate il tutto all'ebollizione per 2 o 3 minuti. Infine sistemate le sarde su un piatto da portata e versateci sopra il "Savor" caldo e lasciate raffreddare per 24 ore prima di servire.

*6 persone*

# FENNEL AU GRATIN
## *Finocchi Gratinati*

### INGREDIENTS

*1kg fennel bulbs (preferably round and firm)*
*salt for water*
*butter for dish*
*45g butter*
*salt, pepper to taste*
*½ cup dry breadcrumbs*
*½ cup parmesan cheese, grated (optional)*

### INGREDIENTI

*1kg di finocchi (rotondi e sodi)*
*sale per l'acqua*
*burro per ungere la teglia*
*45g di burro*
*sale e pepe q.b.*
*½ tazza di pangrattato*
*½ tazza di parmigiano grattugiato (a piacere)*

### METHOD

Heat the oven to 200°C. Wash the fennel and remove any hard outer sections and the hard base. Cut the bulbs in half lengthways. Drop the fennel into salted, boiling water to cover and cook for 10 minutes. Drain and allow to cool. Grease an ovenproof dish and arrange the fennel so that the sections slightly overlap. Dot with butter, season with salt and pepper, and sprinkle with the breadcrumbs and the parmesan (if desired). Bake for 20 minutes until brown and crispy.

*Serves 6*

### METODO

Riscaldate il forno a 200°C. Lavate i finocchi e togliete le foglie esterne e la base dura, tagliate a metà i bulbi in senso verticale e lasciateli cucinare in acqua bollente salata per circa 10 minuti. Toglieteli poi dall'acqua e lasciateli raffreddare. Intanto imburrate una teglia da forno e sistemateci i finocchi in modo che si tocchino l'un con l'altro. Mettete sopra fiocchetti di burro, sale, pepe e cospargeteli di pangrattato e di parmigiano. Cuoceteli in forno per 20 minuti circa, finchè saranno ben rosolati e croccanti.

*6 persone*

# APPLE STRUDEL
## *Struccolo di Pomi*

### INGREDIENTS

*1kg cooking apples, dash of rum*
*150g caster sugar, 250g plain flour*
*2 eggs, beaten, pinch of salt*
*3 tablespoons olive oil or melted butter*
*water as required, extra plain flour*
*extra melted butter*
*100g fresh breadcrumbs fried in 50g butter*
*30g raisins, 30g sultanas*
*30g pine nuts, pinch of cinnamon*
*zest of ½ lemon, grated*
*butter and flour for tray*
*icing sugar*

### METHOD

Heat the oven to 180°C. Peel, slice and core the apples, then sprinkle with the rum and a little of the sugar. Allow to stand while you make the pastry (mix the apples occasionally). Heap the flour on a board and make a well in the centre. Mix in the eggs, the rest of the sugar and the salt. Add the oil or butter and enough water to make a smooth dough. Knead well, cover and allow to rest for 30 minutes. After this time, knead again to make the dough more elastic. With a floured rolling pin, roll out the dough onto a floured cloth until quite thin. Brush the pastry sheet with melted butter and sprinkle with the breadcrumbs. Spread the sliced apples evenly over the pastry, followed by the raisins, sultanas, pine nuts, cinnamon and lemon zest. Roll up the pastry, removing the cloth as you go. Flatten the ends. Place the strudel on a greased baking tray and bake for about 1 hour or until golden brown. Place the strudel on a serving dish and sprinkle with icing sugar.

*Serves 8-10*

### INGREDIENTI

*1kg di mele da cucinare, 1 spruzzo di rum*
*150g di zucchero, 250g di farina*
*2 uova sbattute, 1 pizzico di sale*
*3 cucchiai di olio d'oliva o di burro sciolto*
*acqua q.b., ancora farina, ancora burro*
*100g di pangrattato soffritto in 50g di burro*
*30g di uvetta, 30g di uva passa*
*30g di pinoli, 1 pizzico di cannella*
*la scorza grattugiata di ½ limone*
*burro e farina per ungere la teglia*
*zucchero a velo*

### METODO

Scaldate il forno a 180°C. Affettate le mele già sbucciate e spruzzatele con il rum e un poco di zucchero, quindi lasciatele riposare, mescolandole di tanto in tanto. Mettete la farina a fontana sul tavolo e al centro versate le uova, lo zucchero e un pizzico di sale. Aggiungete l'olio o il burro sciolto e sufficiente acqua per ottenere una pasta soffice. Lavorate bene la pasta ottenuta, copritela e lasciatela riposare per 30 minuti circa. Lavorate nuovamente la pasta per renderla più elastica e con il mattarello infarinato stendetela molto sottile e disponetela su uno strofinaccio da cucina infarinato. Pennellate la sfoglia con del burro sciolto e cospargetela di pangrattato. Distribuite le fette di mela sulla sfoglia, seguite dall'uva passa, dall'uvetta, dai pinoli, dalla cannella e dalla scorza di limone grattugiata. Arrotolate la sfoglia su se stessa, togliendo via via lo strofinaccio e pressate bene affinchè non esca il contenuto. Mettete lo strudel in una teglia già imburrata e cucinatelo in forno per circa un'ora o finchè non sia ben colorito. Mettete lo strudel su un piatta da portata e spolveratelo con dello zucchero a velo.

*8-10 persone*

# INDEX
## *Indice*

# INDEX
## *Indice*